新特産シリーズ

エリンギ

安定栽培の実際と販売・利用

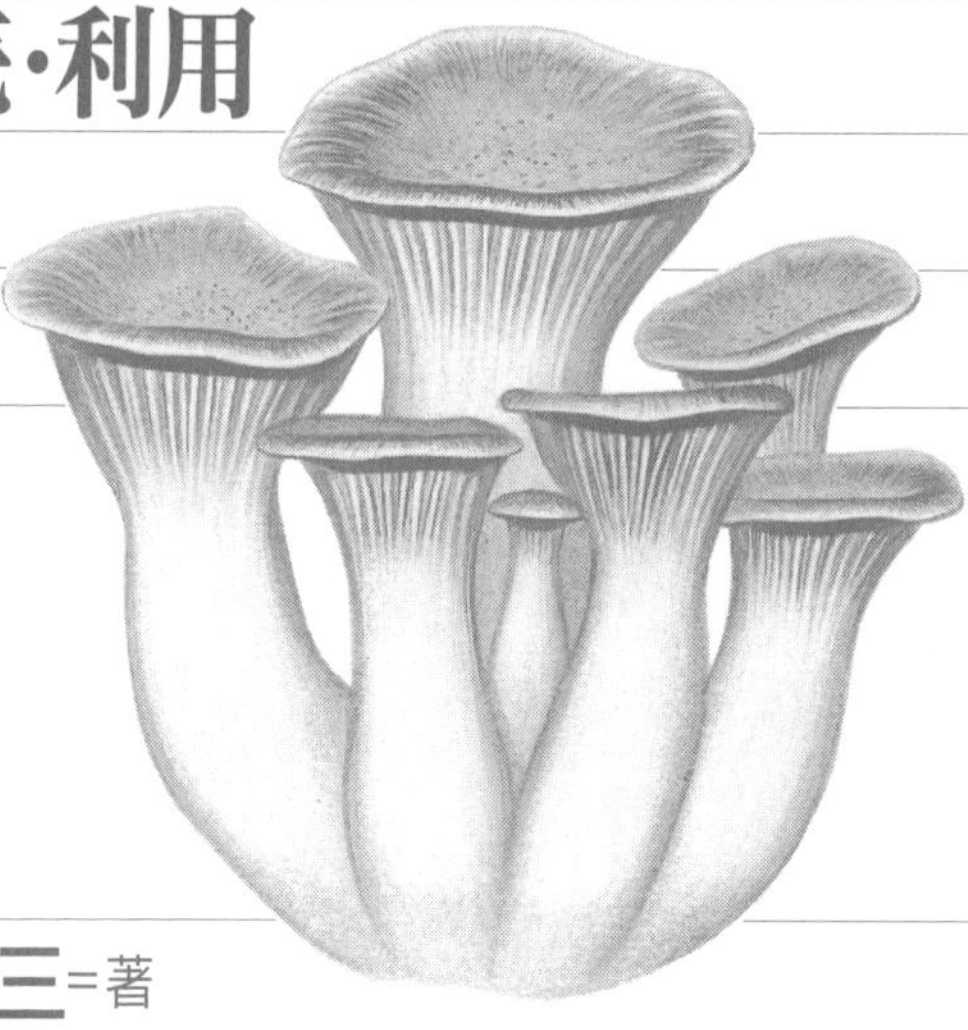

澤 章三＝著

農文協

まえがき

最近の食用菌類の生産額は二六〇〇億円くらいで推移しています。品目別に見ると、シイタケは乾・生とも減少傾向にあり、エノキタケやヒラタケも減少している一方、ブナシメジ、マイタケ、ナメコ、エリンギは生産量が伸びており、価格も比較的安定しています。なかでも、本書で取り上げたエリンギの伸びはめざましく、登場してわずか数年のあいだに第七位の生産量のキノコにまでなっており、今後も新しいキノコとして伸びが期待されています。これは、特徴ある姿とともに、弾力のあるコリコリとした歯ごたえが消費者を強く引きつけたこと、さらにくせのない味わいが、和・洋・中のどんな料理にも合い、食材として広く利用されてきたためです。

エリンギは愛知県が、全国で初めて植物防疫所から有害植物でないとの認定を受けて海外から導入し、栽培化したキノコです。私としては愛知県の生産者に取り組んでいただき、生産量を増やしてほしいというのが正直な気持ですが、実際にはまたたく間に全国に広まってしまいました。愛知県では、平成六年にエリンギがセリ科植物に対して病原性があると指摘を受け、生産者に一年間栽培を中止していただき、病菌床を施用してニンジン等を栽培し、その安全性を確認してきました。その甲斐があってか、平成十年に種苗登録できるキノコに加えられることになりました。

エリンギの安定栽培にとって大きな問題になっている「立枯れ」は、まだ原因が明確にはなっていません。しかし、栽培室の掃除や消毒、新鮮で活力ある種菌の使用、綿密な栽培管理によって防除できることも明らかになってきています。この点に力点を置いてまとめたのも本書の特徴の一つです。

また、失敗なく栽培できるように、これまでの研究と経験をふまえて、できるだけわかりやすく具体的にまとめたつもりです。生産者をはじめ、林業関係の指導者などの栽培の手引として、また消費者には料理などの参考に広く活用していただければ幸いです。

最後に、資料を提供していただいた石田朗、森下信明、白頭勲明、門屋健の各氏、写真撮影させていただいた天木辰信氏、長年にわたって試験研究を一緒にやってきた愛知県林業センターの研究員諸氏に厚く御礼申し上げます。また、執筆に当たっていろいろお世話いただいた農文協編集部に感謝申し上げます。

二〇〇一年二月

澤　章三

目次

第二章　エリンギ導入の課題

第三章 エリンギの生理・生態と品種の特徴

第四章　エリンギ栽培の実際

第五章　エリンギの利用と料理

【付録】

第一章

エリンギ栽培の魅力

1、栽培、消費ともに短期間に広がる

(1) 日本では新顔でもヨーロッパではおなじみのキノコ

エリンギが日本に紹介されたのは新しく、一九八二年（昭和五七年）に発行された初版の『キノコの事典』（朝倉書店）のヒラタケの章に、衣川堅二郎、荒井滋によって〝注目すべき近縁種〟として記載されたのが最初である。しかし、栽培方法は記載されておらず、当時の段階では栽培方法は明らかにされていなかった。わが国でエリンギの栽培方法が確立されるのは、さらに一〇年ほどかかっている。

栽培技術確立への動きは、一九九三年（平成五年）一月に愛知県が名古屋植物防疫所に、外国産キノコのエリンギが有害植物であるかどうか、文献を添えて判定を申請したところから始まる。申請した一月にエリンギが〝有害植物でない〟と認定されて、正式に輸入できるようになった。そして、一九九三年二月に愛知県がわが国で初めて正式に台湾からエリンギを導入し、日本での栽培法を確立したのである。同年十月には、日本林学会中部支部大会で和名を「カオリヒラタケ」（仮称）としてエリンギの栽培について発表し、これが契機となって全国に普及していった。

第1−1図　収穫期のエリンギ（ビン栽培）

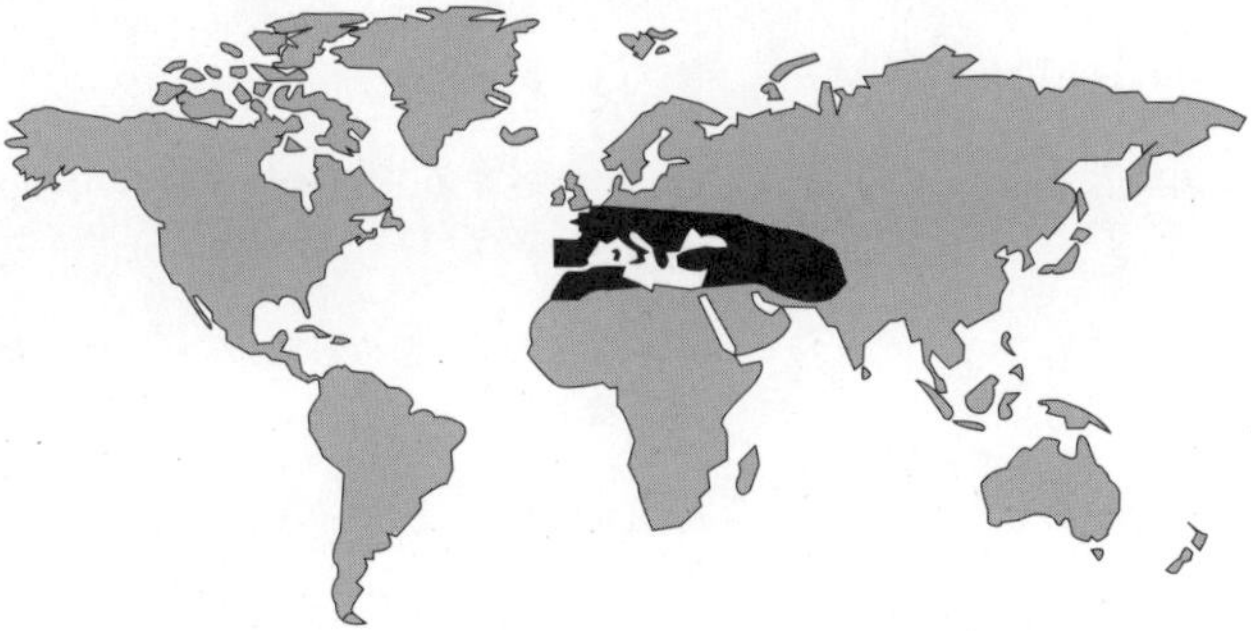

第1−2図　エリンギ（*Pleurotus eryngii*）の原産地

栽培状況（愛知県林業センター調査，1996年12月）

栽培形態	試験研究	そ の 他
周年	林業試験場で実施	シイタケ菌床会社中心の栽培，試験段階
ビン，周年	なし	キノコが悪く市場性がない
ビン，周年	（財）県茸振興センター	全国しもふり茸生産組合所属
ビン	なし	本格生産は行なわない
ビン，周年	林業センター	生産者からの期待大
周年，ビン	なし	
		（株）健康きのこ園で栽培
ビン	なし	発生が不ぞろい，栽培技術が確立していない
夏に試験的	民間，種菌メーカー	
空調，ビン	林総センタ，花き試験	県，農協はセリ科問題が解決されるまで振興は図らない
ビン，周年	なし	ヒラタケ生産者が試験的に，技術の向上に努めている
ビン，周年	なし	発生量不安定，菌の老化が早い，生長障害大，胞子が多い
ビン，周年	林業センター	立枯れの発生，セリ科の影響
ビン栽培	県森林センター	１年前から試験的，種菌自社作，直接販売，施設拡大予定
ビン栽培	個人	平成８年２月からフル稼働，周年収穫目標

第1－1表　1996年（平成8年）のエリンギの全国での

県名	生産者数	生産量(t)	商品名	荷姿（g）	単価(円／100g)	栽培状況
北海道	5	30.0	キタノシメジ	100	130	併用
秋田	1	13.0	シモフリタケ	100	150～160	
福島	1	80.0	しもふり茸，いわき華茸	100	100～130	建設会社
茨城	1	0.2	エリンギ	200		試験栽培，ヒラタケと同時
栃木	5	15.0	エリンギ	100	80～150	専業1人，他併用
群馬	13	27.0	エリンギ	パック詰め	150	
千葉		不明	エリンギ			
新潟	1	不明	エリンギ		100	試行段階
富山	2	1.0	エリンギ	100	100	エノキ，ナメコ併用
長野	17	130.0	ポンポコ茸，アルプス常念坊，ミヤマシメジ	100	50～110	夏場の価格対策
岐阜	1	5.0	味しめじ，エリンギ	100	180	本人，パート2人
静岡	4	250.0	白アワビタケ，ヨウキヒ，シモフリ	100	60～140	
愛知	20	300.0	エリンギ，カオリヒラタケ	100	80～160	一部専業，ヒラタケと併用
滋賀	1	0.1	北山	計り売り	250	専業，他キノコ併用
京都	1	1.9	松たけしめじ	パック	200	家族3人

栽培形態	試験研究	そ の 他
周年，ビン	各自の試行錯誤	立枯れ，発生時の胞子を芽出し時の分離で防除可？
ビン，周年	なし	立枯れが発生し問題となっている，資料がほしい
周年，ビン	なし	
ビン，周年	セリ科試験開始	平成8年から試行段階，9月立枯れ発生
周年，ビン	なし	2回目の発生が悪い，市場からの期待は大きい
ビン，周年	林業センターで実施	九州地区林試協が臨時にエリンギ分科会，病原試験実施中
1～3月出荷	なし	

このように日本では新しいキノコであるが、アフリカ北部、スペイン、イタリア、フランス、ハンガリー、旧ソ連邦以南のヨーロッパ、中央アジアなどではエリンギの自生地でもあり、昔からおなじみのキノコとして利用されている（第1―2図）。モロッコやスペインでは野生のエリンギが販売されたり、イタリアではカルダレラ（cardarella）と呼ばれる有名な食用菌であったり、旧ソ連邦では〝ステップのいぐち〟と呼ばれて食べられたり、インド、パキスタンでは人やロバの食物として売られたりしている。そして、一九七〇年代に生理的な性質が明らかになってからは、イタリアでは菌床を

県名	生産者数	生産量(t)	商品名	荷姿（g）	単価（円/100g）	栽培状況
奈良	4	60.0	松茸しめじ，みやこ松茸，エリンギ	100	140〜150	専業3人，併用1
和歌山	2	3.5	えりんぎ	パック	100	専業1，兼業1
広島	2	135.0	ミヤマシメジ，エリンギ	100	60〜200	専業1，併用1
福岡	2	330.0	イタリアンマッシュ，エリンギ	100	60〜150	併用栽培
長崎	2	42.0	まつたけしめじ，エリンギ	100	60〜100	併用栽培
宮崎	2	24.0	霧島しめじ，綾ひめたけ	100，袋	80〜50	併用
沖縄	2	0.7	アンズタケ		120〜150	他キノコ併用
合計	92	1,448.4				

土に埋める方法で栽培されるようになった。

(2)　五年間で生産量第七位のキノコに

一九九三年にエリンギの栽培が紹介されると短期間に全国に広がり、一九九六年（平成八年）に行なった愛知県林業センターでの調査では、全国の栽培状況は第1―1表のようになっている。一九九七年には、エリンギは林野庁から新しい栽培キノコとして紹介され、愛知県の調査とのズレはあるが、一九九六年に全国一八県で生産されて生産量が一九一〇トンであったと発表された。これは、マッシュルームに次

第1－2表　1999年のエリンギ生産量

都道府県	生産量(t)	都道府県	生産量(t)
滋賀	－	北海道	797.2
京都	4.6	青森	－
大阪	－	岩手	－
兵庫	140.0	宮城	41.4
奈良	59.0	秋田	258.6
和歌山	24.5	山形	30.3
鳥取	28.0	福島	120.0
島根	－	茨城	－
岡山	－	栃木	22.0
広島	144.4	群馬	174.0
山口	30.0	埼玉	36.5
徳島	－	千葉	11.0
香川	1,458.9	東京	－
愛媛	－	神奈川	－
高知	116.6	新潟	214.8
福岡	75.0	富山	－
佐賀	－	石川	17.4
長崎	16.3	福井	－
熊本	－	山梨	22.0
大分	1.3	長野	1,030.0
宮崎	－	岐阜	141.0
鹿児島	－	静岡	441.2
沖縄	－	愛知	58.5
計	5,514.5	三重	

ぐ第八位の生産量である。

以後、一九九八年十一月にはエリンギが、ブナシメジ、ヒメマツタケ、オオヒラタケ、ヤマブシタケとともに指定種苗になり、品種登録ができる品目になった。また、一九九八年のエリンギの全国の生産量は、二七県で生産されて三七〇〇トンに増加し、マッシュルームを抜いて第七位になった。さらに、一九九九年のエリンギの全国の生産量は第1―2表のように約五五〇〇トンに増加しており、今後も新しいキノコとして伸びが期待されている。

2、和・洋・中、どんな料理にも合うキノコ

(1) 弾力のあるコリコリした歯ごたえと、くせのない味わい

筆者は、一九九二年にエリンギの生長する様子を初めて見たが、そのときホンシメジではないかと一瞬目を疑ったほどであった。

さっそくバター炒めにして試食してみたが、弾力のあるコリコリした歯ごたえとくせのない味わいに驚き、〝これはいける！〟と勇んで上司に報告したものだった。日本でエリンギの栽培ができても、消費者に受け入れられなければ産業として成り立たないが、エリンギの食感と味わいはこの心配を吹き飛ばしてくれた。これに自信を得て、フランス料理、中華料理、和食などの料理人にエリンギを紹介して試食品の作成をお願いし、その感触から和・洋・中どんな料理にも合うことを確認した。

現に、あえ物や天ぷら、鍋物のほか、炒めても煮込んでも焼いてもと、いろいろな料理に利用されているし、料理のレシピにも幅広く登場するようになってきており、多くの人にも知られるキノコの一つになりつつある。

第1－3図　エリンギと牛肉のオイスターソース炒め
（125ページ参照）

(2) 大きく、白く、優美な姿も大きな魅力

愛知県林業センターで何か日持ちのよいキノコがないかと探していたおり、一九九一年（平成三年）に名古屋の知り合いが三種のキノコを紹介してくれた。そのうちの一つがエリンギであり、ほかは白色のヒラタケとヒマラヤヒラタケで、以前に扱ったことのあるキノコだった。エリンギはそれまで扱ったことのないキノコであっただけでなく、傘が大きく柄が白く、その優美な姿がほかのキノコにくらべて目を引いた。この優美な姿はほかのキノコにはない大きな特徴であり、エリンギに取り組んでみようと思った大きなきっかけでもあった。

この、今までのキノコにない形と色は、最初は消費者に戸惑いもあったようだが、その歯ごたえや味が知られるとともに、エリンギを大きく印象づける特徴になっている。

3、食物繊維が多く高脂血症にも効果

(1)　食物繊維やカリウムが豊富

エリンギに含まれる成分については、一九九七年（平成九年）四月に科学技術庁から発表された五訂の食品成分表に新しく追加された。エリンギはほかのキノコと同様に、ビタミンDや食物繊維が豊富で、低カロリーの食品である。キノコのなかでは、食物繊維、カリウム、タンパク質、炭水化物、灰分がやや多く含まれている（第1—3表）。

特に食物繊維は、コレステロールを吸着することで体外へ排出したり、通便をよくして大腸ガンを予防する働きがある。また、カリウムはナトリウムイオンの排出を促進し、高血圧を予防するほか、筋肉（特に心筋）の収縮にも重要な役割をはたしている。

また、菅原龍幸・女子栄養大学教授によると、エリンギの呈味成分の遊離アミノ酸総量はキノコのなかでは中程度で、グルタミン酸、アルギニン酸が多いという（『現代林業』二〇〇〇年七月号）。糖、糖アルコール類の含有量は中程度かそれよりやや多くて、トレハロースが主となっている。有機酸はリンゴ酸が主であるが、シュウ酸も比較的多く含まれているという。

第1—3表　エリンギとその他の主要キノコ類の主な成分

	タンパク質	脂質	炭水化物	灰分	ナトリウム	カリウム	マグネシウム	リン	鉄	亜鉛	鉄	ビタミンB1	ビタミンB2	ナイアシン	食物繊維
	g	g	g	g	mg	mg	mg	mg	mg	μg	μg	mg	mg	mg	g
エリンギ	3.6	0.5	7.4	1.0	2	460	15	120	0.3	660	150	0.14	0.28	8.1	4.3
ヒラタケ	3.3	0.3	5.2	0.8	2	340	15	100	0.7	1000	150	0.40	0.40	10.7	2.6
シイタケ	2.0	0.3	6.2	0.4	3	170	11	4	0.4	460	90	0.07	0.24	2.4	4.1
エノキタケ	2.7	0.5	6.3	0.8	4	360	18	80	0.9	760	120	0.31	0.22	8.1	3.2
マイタケ	3.7	0.7	3.8	0.8	1	330	14	130	0.5	1300	370	0.25	0.49	9.1	3.5

『ビジュアル食品成分表』（大修館書店，1997年）より作成，数字は可食部100g当たりのもの

(2) 注目される脂肪やコレステロールの排出促進効果

『日本農業新聞』（二〇〇〇年（平成十二年）四月二十三日　詳しくはこれを参照してほしい）に、エリンギの高脂血症の改善効果について、次のような記事が掲載されている。

「キノコのエリンギに高脂血症改善効果があることを東京農業大学の江口文陽講師らの研究グループがラットの実験で確かめた。体重が増えるのを抑える作用もあり、ダイエット効果も期待される。粉末でも抽出液でも効果があったため、水溶性食物繊維やタンパク質などとの相乗効果とみられる。今後、臨床試験も含めて詳しく検討していく。

実験は、一〇パーセントのラードと一パーセントのコレステロールを混ぜた高脂肪食を与え、人工的

に高脂血症にしたラットで行なった。

エリンギは、抽出液と乾燥粉末を使った。抽出液は、乾燥後に粉砕、五、一〇、一五グラムに分けて六〇〇ミリリットルの熱水で二時間抽出してつくり、それぞれを高脂肪食と一緒に与えた。乾燥粉末は、高脂肪食に五パーセントの割合で混ぜて与えた。

その結果、抽出液や粉末を与えたのは、与えないものに比べて体重増加率が低かった。総コレステロールや中性脂肪なども下がった。便中の脂質が高く、コレステロールなどの排出を促す効果も認められた。

江口講師は『品種や栽培方法に関係なく効果を発揮すると考えている。このような機能性があることを広め、生産の拡大につなげたい』と指摘する。」

この研究以外にも、信州大学医学部の発地雅夫教授はラットの実験で、エリンギには肝細胞への脂肪沈着抑制など、コレステロール排出効果について発表されている（『週刊ポスト』二〇〇〇年十一月二十四日号）。

4、最も日持ちがよいキノコの一つ

新しいキノコを消費者に提供するとき、受け入れられるかどうかは歯ごたえや食味、形、色なども

第1－4表　各種キノコの保冷温度別の日持ち（右欄の症状が発生した日数）

種類	フィルム	1℃	6℃	11℃	16℃	21℃	26℃	31℃	調査期間とその期間に発生した症状
エリンギ（カオリヒラタケ）	Sフィルム	12	11	12	6	12			12日間調査 バクテリア，発菌
	Hフィルム	12	11	6	7	7			
ヤナギマツタケ 1号L	Sフィルム			10	10	9	4	4	10日間調査。膜切れ，割れ，傘おち，発菌
	Hフィルム			6	4	6	2	2	
ヤナギマツタケ 1号LL	Sフィルム			7	5	2			7日間調査 同上
	Hフィルム	8	8	6	5	2			
ヤナギマツタケ 1号LL・2号L	1号LL・Sフィルム	9	9	6	3	2			9日間調査 同上
	2号L・Sフィルム	10	10	7	4	3			
原木シイタケ Y763	Sフィルム	10	10	7	6				10日間調査。傘，ヒダ柄の褐変，傘の発菌
	Hフィルム	11	11	7	6				
菌床シイタケ MM－1	Sフィルム	11	11	9	5	4			11日間調査 同上
	Hフィルム	11	11	9	5	4			
ヒラタケ 愛知2号	Sフィルム	11	8	6	5	5			11日間調査。傘，柄のシワ，傘の変色，発菌
	Hフィルム			5	5	5			

注 1）Sフィルム：ポリエチレン製フィルム
　　　Hフィルム：塩ビ製フィルム
注 2）空欄は調査をしていない

影響するが、それ以外に日持ちのよしあしが大きく影響する。筆者らはエリンギと他のキノコの日持ちを比較試験したが、その結果ではエリンギは最も日持ちのよいキノコといえる。

試験にはヤナギマツタケ、シイタケ、ヒラタケ、エリンギの四種のキノコを用いた。各キノコを一般に市販されている大きさで採取し、日持ちを調査してみた。出荷用の深皿トレイ（ヤナギマツタケ、ヒラタケ、エリンギ）、浅皿トレイ（シイタケ）を使用して、Sフィルム（ポリエチレン製フィルム）とHフィルム（塩ビ製フィルム）で包装し、一℃から五℃おきに三一℃までの温度で保管して日持ちを調査した。同時に、重量の減少などキノコに生じる変化についても調査した。

その結果は第1―4表のとおりで、エリンギの鮮度保持日数は、Sフィルムではほかのキノコよりもよく、特に温度の高い場合の日持ちがいい。Hフィルムではややフィルムよりやや落ちるものの、温度の高い場合の日持ちのよさが確認できる。この試験で比較したのは四種類だが、その他のキノコも同じ程度の日持ちと考えられる。さらに、エリンギの重量はSフィルムでは収穫時の九六・四～一〇〇パーセントとほとんど変わらないのに対して、Hフィルムでは八八・二～九六・八パーセントと減少量が多くなった。また、ほかのキノコも同様に重量が減少しており、SフィルムのほうがHフィルムより鮮度保持効果が大きいことがわかる。

次に発菌の状況をみると、七日目にはHフィルムの場合一一～二一℃で発菌がみられた。また、一二日目には両フィルムとも六℃以上で発菌がみられ、Hフィルムでは一一℃以上でバクテリアの付着もみられた。ほかのキノコは、ほとんどが七日目一一℃でひだが褐変し、一六℃で発菌がみられた。また、いずれもSフィルムよりHフィルムのほうが早く劣化したり発菌したりしている。

このように、四種のキノコのなかではヤナギマツタケが最も日持ちが悪く、シイタケ、ヒラタケが中位、エリンギが最もよい結果になった。

5、栽培期間が短く値段も安定

(1) エリンギの栽培期間は五六日

キノコの栽培期間は、キノコの種類、ビンや袋の容量によって異なるが、栽培期間がどのくらいかかるかは、年間の栽培回数とともに、かかった経費がどの程度の期間で回収できるかにとっても大切なことである。単純に長短だけで判断できない面もあるが、エリンギは短いほうなので比較的有利なキノコといえよう。

エリンギとビンの容量が近いブナシメジ、ナメコ、ヒラタケと栽培期間をくらべてみると、ナメコが一一五日で最も長く、ついでブナシメジの一〇五日、エリンギの五六日の順で、ヒラタケの四五日が最も短い。エリンギは、ヒラタケより一〇日くらい長いが、キノコのなかでは短いほうである。ちなみに、エノキタケは五八日とエリンギと同じくらいの栽培期間である。

(2) 価格は安定

一九九九年の市場価格をみると、生シイタケが一〇〇グラム当たり一一七円で最も高く、次いでエ

第1—4図　小売店で販売されているエリンギ

リンギの九〇円、マイタケの八六円で、その次がナメコの六〇円、ブナシメジ五九円、ヒラタケの五七円で、エノキタケの三九円が最も安い。市場手数料などによって一〇パーセントは引かれるので、エリンギの生産者手取りは八〇円くらいとなり、ナメコ、ヒラタケ、エノキタケよりも優れている。

生産量が急速に伸びているので、過剰供給になり価格の急落も心配されるが、消費も伸びてきているので、急激に価格が下落することはないと思われる。ただ、品質的に劣るものはよい価格は期待できないので、消費の拡大とともに品質のいいものを生産することが大切になる。

(3)　夏場の値崩れも少ない

夏場のキノコは、日持ちが悪く鍋物などの需要

第1－5図　イベントや直売でも人気のエリンギ

が少ないため、消費が低下して価格も安くなりがちである。種類別にみると、生シイタケはそれほど安くないが、エノキタケ、ナメコ、ヒラタケは原価を切るほど極端に安いことが多い。しかし、マイタケとエリンギは値崩れが比較的少ない。

これは、マイタケ、エリンギともに日持ちがいいためである。さらに、炒め物や天ぷらなど季節に左右されない需要があることも大きな理由になっていると思われる。

6、針葉樹のオガ粉が利用できる

菌床栽培の菌床の主原料はオガ粉（オガクズ）である。この、オガ粉の価格によって、材料費が大きく左右される。

オガ粉には広葉樹と針葉樹の両方あるが、シイタケ、ナメコ、マイタケなどには広葉樹オガ粉が使われているなど、キノコ栽培では広葉樹オガ粉を使うことが多い。しかし、製材して利用できる広葉樹の量が少ないため、広葉樹オガ粉の供給量は少なく、価格は一立方メートル当たり一万円にも高騰している。

一方、針葉樹オガ粉は国産材ではスギ、ヒノキが中心であるが、キノコの発生や品質が悪く利用できるキノコが限られている。家畜の敷料と競合するが、供給量が多いわりに利用が少ないので、価格は広葉樹オガ粉の五分の一から一〇分の一と安い。幸いエリンギは、安い針葉樹オガ粉が利用できるのでそれだけ有利である。

なお、外国産材ではラジアータマツを利用している例がある。

7、ほかのキノコからの転換も容易

ヒラタケ、エノキタケなどのビン栽培（ブロービン栽培）をしているキノコであれば、施設や設備がそのまま使えるので、エリンギ栽培への転換は容易である。

特にヒラタケは、後発のブナシメジとの競合によって消費が激減し、生産が衰退の一途をたどっている。エリンギはヒラタケと同属のキノコでもあるので、ヒラタケ施設の有効利用としてエリンギへの転換をすすめたい。培養温度、芽出し温度、生育温度を上げて管理しさえすれば、栽培手順や設備がほとんど同じなので、エリンギ栽培へ転換しやすい。

またエノキタケでは、生産量が成長期をすぎて高原状態にあり、大規模化がすすんで零細な栽培者が淘汰されてきている。こうした栽培者の転換品目としてもエリンギをすすめたい。エノキタケからの転換もヒラタケと同様、施設や設備がそのまま使用でき、栽培温度、芽出し温度、生育温度を上げて管理すれば栽培が可能である。

ただ、ヒラタケもエノキタケも菌糸の伸長が速く雑菌類に強い菌であるが、エリンギはその逆なので、雑菌には細心の注意が必要である。

第二章

エリンギ導入の課題

キノコの導入に当たって、栽培の安定化と品質の確保とそろいが基本になるが、特にエリンギでは重要な課題になっている。エリンギ栽培の安定化を阻害している最大の課題は、立枯れの発生である。また、ほかのキノコに比べて発生の不ぞろい、奇形キノコになりやすいなどの問題もある。

ほかのキノコの施設を利用すれば、それほど経費もかけずに導入できるし、栽培も比較的容易であるという長所がある半面、生産の安定化がむずかしいキノコの一つといえよう。

1、最大の課題は立枯れの克服

(1) 立枯れはある日突然に発生

エリンギ栽培での最大の課題は、立枯れの発生である。エリンギの栽培を数回くり返していくと、それまで健全に生育していた子実体に突然あらわれ、最初は部分的だがしだいに広がり、半年ほどすると全く発生しなくなる。この障害は、秋田、新潟、静岡、愛知、奈良、和歌山、福岡、長崎、鹿児島など全国のエリンギ生産地で発生しており、共通の問題になっている。

立枯れは、発生本数の密度が高くなると発生室のCO_2濃度が高くなり、エリンギの菌糸が弱まってバクテリアなどの雑菌が繁殖しやすくなること、また二番栽培まで持っていくと、一番発生で弱くなっている菌糸はトリコデルマなどの雑菌類が繁殖しやすくなり、発生室が汚染されやすいこと、などが考えられている。また、エリンギはほかのキノコより胞子を出す量が多く、これに雑菌が付着するとか、種菌の老化が速いためなどともいわれている。しかし、原因や対策は充分に明らかになっていない。

第2—1図　立　枯　れ
こうした状態で，これ以上キノコが伸びなくなる

愛知県でもこの問題に対する取組みを始めているが、対策についてはまだ決め手はなく、①接種・培養・栽培室の消毒の徹底、②種菌の老化の防止、③品種ごとの培養期間の徹底、④雑菌の分離と防除方法の解明などを行なっているのが現状である。生産を安定させるために、ぜひ解決しなければならない問題である。

以下、これまで検討した成果をもとに、現状で考えられる立枯れ対策のポイントを紹介する。

(2)　種菌が劣化しやすいので更新は早めに

立枯れの原因の一つに、種菌の老化が考えられている。種菌が老化すると活力が低下するので雑菌に弱くなる。

もともとエリンギは、ヒラタケやエノキタケなどにくらべて菌糸の生長速度が遅く、雑菌に弱い性質がある。したがって、雑菌の付着や種菌の老化を防ぐために、ヒラタケやエノキタケなどで普通に行なわれている栽培ビンに培養した菌を種菌として使う（拡大培養）のはやめたほうがよい。

また、組織分離して保存してある菌に更新する場合も、種菌が老化しないうちに早めに行なったほうが無難である。

(3)　未熟な菌床は使わない

エリンギは菌糸の伸長速度が遅い。そのため、基準培養日数は三〇〜四〇日になっているが、場合によっては五〇日と長めにする。つまり、まだらにオガ粉の色が残っているなどエリンギ菌糸がビンの中に完全にまわっていない場合や、添加物を多くした場合は、培養日数を延長する。この時点では日数が多くかかっても、菌床に菌糸が充分まわることによって、立枯れや生育不良が発生しにくくなるので有効な対策の一つといえる。

(4)　雑菌の混入を徹底的に防ぐ

①含水率は殺菌前で六五パーセントを厳守する

培地をビンに詰めるときは、添加物を入れ、含水率を六五パーセントに調整した培地を所定量詰め込む。このときの含水率は高すぎても低すぎても菌糸のまんえんに影響する。つまり、含水率が高すぎると培地の下に水がたまったりして菌糸の伸びが悪くなり、雑菌の付着も多くなる。逆に低すぎると、菌糸は速くまんえんするが、菌糸が細くなり薄い乳白色に見える「薄まわり」になってしまう。こうなると、菌体量が少ないのでキノコの発生量が少ないだけでなく、青カビなどの雑菌がつきやすくなる。

なお、健全な場合は、菌糸が充分栄養を吸収して太く、乳白色~白色にみえる。

②ビン栓は通気性のよいものを

エリンギは好気性の菌なので、ビン栓はなるべく通気性のよいものを選ぶようにし、キャップだけのものは夏期の雑菌の混入に注意が必要である。

また、キャップに紙の中ぶた（メンコ）をはさむ場合には、殺菌によって培地の中が負圧になって斜めに落ちることがあり、それを手で直すときに雑菌が入りやすいので、真ん中に八ミリくらいの穴をあけるなど工夫が必要である。こうすると、紙の中ぶたが落ちないだけでなく、通気性がよくなり菌糸のまわりもよくなるので、ぜひ実行されたい。

キャップにはさむ専用のウレタンも販売されており、これを使えば雑菌の混入に対して比較的安全であるが、費用がかかる。

いずれにしても、〝通気性のよいもの〟と〝雑菌の混入するもの〟は紙一重であり、その選択は重

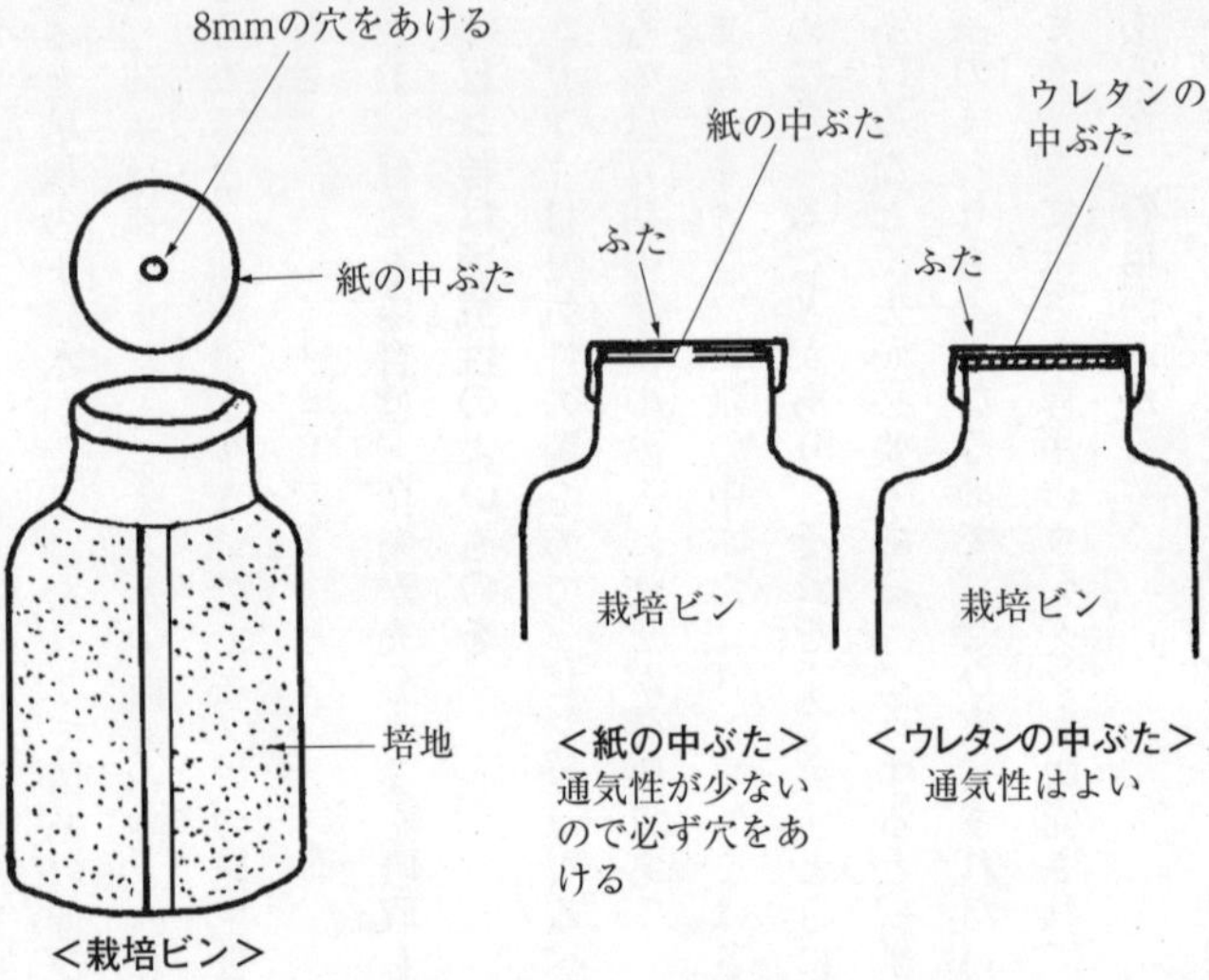

第2—2図　紙の中ぶたは必ず穴をあける

要である。

(5)　菌床の殺菌は入念に

菌床の殺菌には、高圧殺菌釜か常圧殺菌釜を使用するが、完全に殺菌することが大切である。殺菌が不充分であれば、立枯れだけでなく雑菌に侵食されてしまうので、完全殺菌はエリンギ安定栽培の大前提である。

完全に殺菌するためには、高圧殺菌釜では培地内温度が一二一℃に達してから一時間、また常圧殺菌釜では培地内温度が九八℃に達してから五時間と、所定の温度と所定の時間を守り、手抜きをしないことである。そして、殺菌が終わったら、釜内の温度が八〇℃以下に冷めてから釜出しをする。このとき、〝戻り空気〟が混入しないように注意することも大切である。

(6)　施設の清掃、消毒の徹底

エリンギは、ほかのキノコより胞子を出す量が多く、これに雑菌が付着して立枯れが発生するとも考えられている。殺菌後、冷却→種菌の接種→菌糸のまんえん→芽出し・生育の行程が、それぞれ冷却室→接種室→培養室→栽培室（冷却・接種室→培養室→栽培室の場合もある）で行なわれるが、エリンギの立枯れや生育不良を防ぐためには、これらの施設の清掃・消毒が重要である。

①殺菌後の冷却、接種、培地の移動時も要注意

殺菌後菌床を冷却室に移し冷却を行なうが、殺菌した培地に雑菌が入らないよう、部屋の空気圧を陽圧（部屋の中から外へ空気がでるように）にしたり、殺菌灯をつけたり、毎日清掃・消毒を行なうことが必要である。また、接種室は殺菌された菌床が直接露出する部屋であるから、部屋全体の消毒、使用機具の消毒、接種のために入る人間や使用する種菌の消毒などに最も注意を払わなければならない。

さらに、釜から冷却室へ、冷却室から接種室へ、接種室から培養室への移動時にも、キャップが取れて雑菌が侵入しないように慎重に行なうことが重要である。

②培養室、栽培室の清掃・消毒の徹底

培養室　培養室は、接種した種菌が雑菌に汚染されることなく、菌床全体に菌糸をまんえんさせる施設である。そのため、温度、湿度、明るさ、CO_2濃度などを調節することはもちろん、雑菌を防ぐための手だてが必要である。具体的には、培養の初期には空調の風が直接当たらないよう培養ビンをポリエチレンシートで覆うなどの配慮が、中期には温度の上昇を二三℃以上にならないように抑えたり、CO_2濃度を少なくしたりするなどの工夫が必要である。また、雑菌の持込みを予防するために土足を厳禁することや、部屋を清掃・消毒することも大切である。

栽培室（芽出し室、生育室）　芽出し・生育させるための栽培室は、芽を出させ、キノコを大きく育てるための施設である。芽出し室と生育室に分かれているほうが作業がしやすいので、別々にしている栽培者も多い。

芽出し室では、菌床に菌糸をまんえんさせた栽培ビンからキャップを取り、菌かきをし、発芽を促進させるが、菌かきの刃を消毒するとともに、部屋を消毒することも培地表面に雑菌が付着しないようにするための大切な作業である。途中でバクテリアやトリコデルマの発生があれば、ただちに菌床を廃棄しなければならないので、発芽の様子をたえずチェックすることが重要である。

生育室は、芽がつき、新聞が取れるようになった後、キノコが生長して収穫されるまでの大事な施設である。温・湿度、CO_2濃度、明るさなどの調節とともに、途中で立枯れしているものがないか、そ

の立枯れが何によるものかをチェックする。そのうえで、発生が止まっているものは室外に出し、二番に回せるもの（⑺の項参照）は菌かきをするなど、きめの細かい管理を行なう。また、当然ながら部屋の消毒も大切である。なお、バクテリアやトリコデルマによる立枯れが多い場合は、キノコにかからないように殺菌剤で部屋を消毒する必要がある。

③栽培室消毒の効果は大きい

エリンギの立枯れの原因を究明するため、筆者らはエリンギの三品種の種菌を使い、菌かき時に栽培室を消毒する区としない区に分けて、種菌を順次三回拡大培養して子実体の発生量などを調査した。その結果、消毒した区は発生量と立枯れ本数がいずれの品種でも横ばいであったのに対し、消毒しない区はいずれの品種でも拡大培養三回目で立枯れ本数が増え、子実体が発生しなくなった（第2―3図）。

また、愛知県岡崎市農業バイオセンターでは、七回拡大培養して発生量などを調査している。それによると、二品種は変わらなかったが、一品種は消毒しない場合、拡大培養六回目、七回目で立枯れが多くなり、発生量が当初の五〇パーセント以下になったという結果が出ている（第2―4図）。

以上の結果から、立枯れとそれによる子実体の発生の減少には、拡大回数が関係しているが、発生室の消毒による予防効果が大きいと考えられる。なお、消毒をする場合は、発生中の子実体に薬剤などがかからないよう、芽出し室と生育室を分けることや、ローテーションを組んで休んでいる部屋を

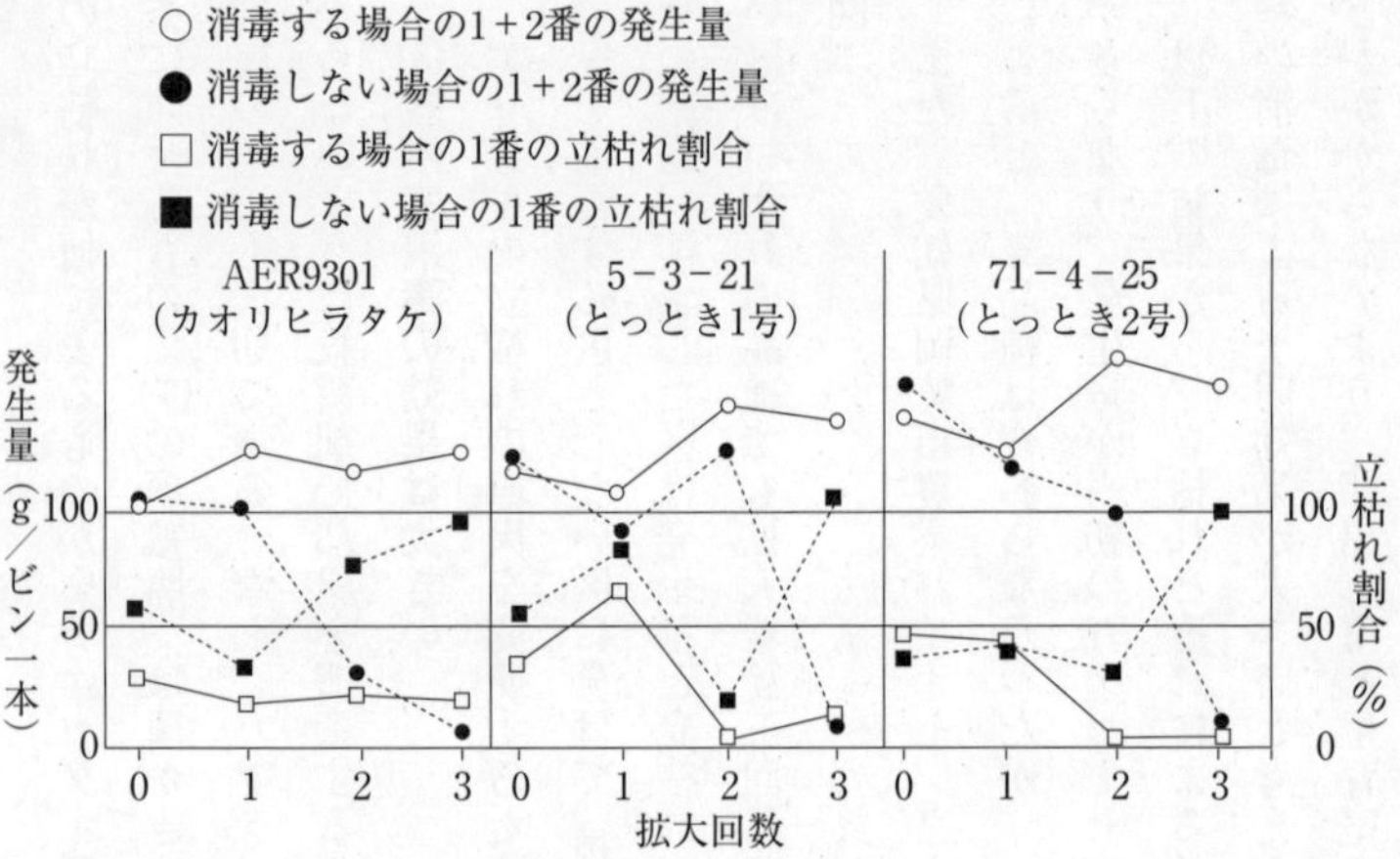

第2－3図　発生室の消毒と拡大培養回数，品種別の発生量および立枯れ本数割合（愛知県林業センター）

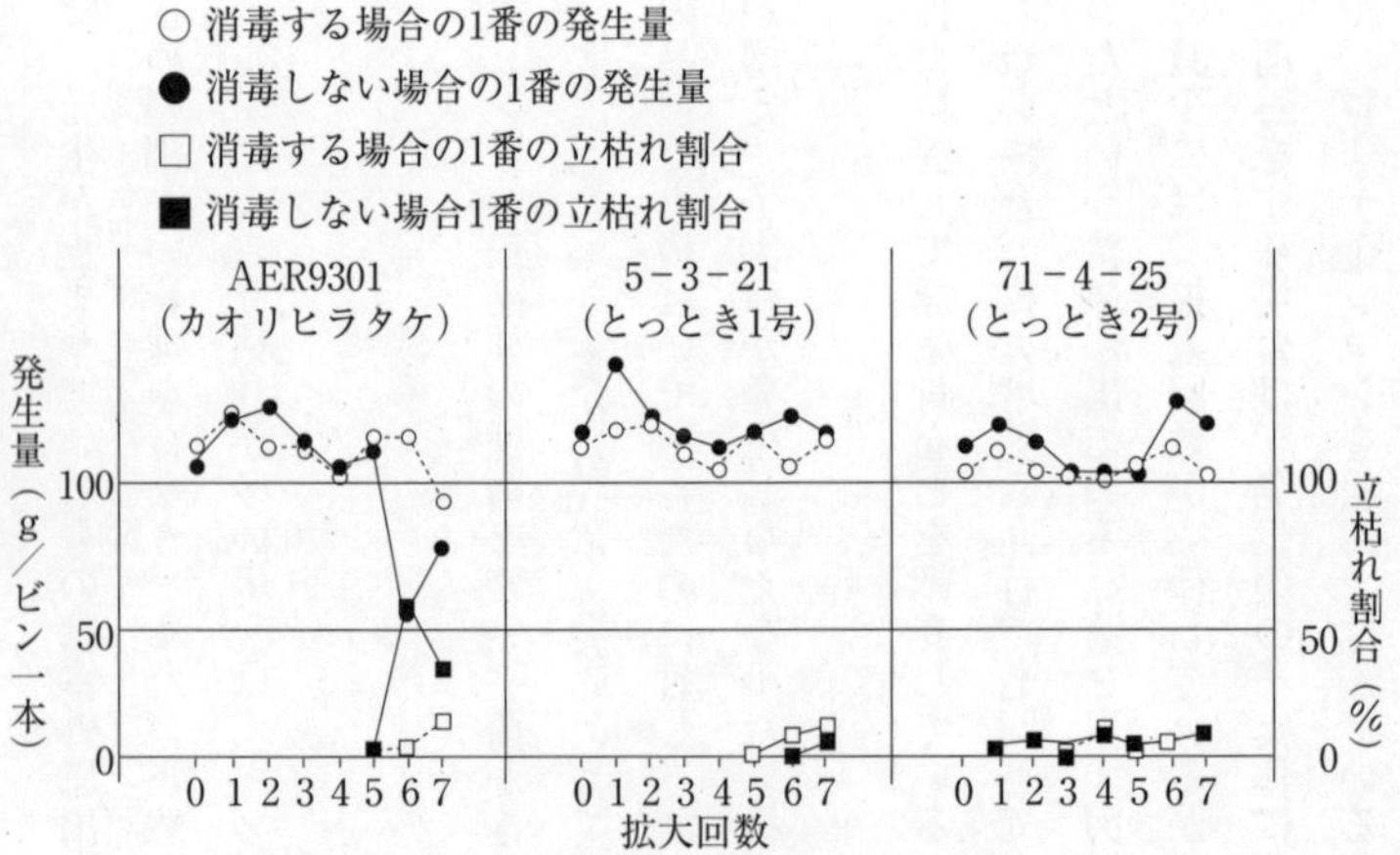

第2－4図　発生室の消毒と拡大培養回数，品種別の発生量および立枯れ本数割合（岡崎市農業バイオセンター）

つくり消毒するなどの工夫が必要だろう。

④胞子が多いので換気装置の掃除も忘れない

エリンギは芽の段階から生長の段階まで、常にひだが裸出しているので、ほかのキノコにくらべて胞子の放出数が多い。その胞子に雑菌が付着して増えることが多い。そのため、壁や床などみえやすいところだけでなく、部屋にある加湿機や棚、空調機、換気装置なども忘れずに清掃・消毒する。

(7) 立枯れしたものを二番発生に回すかどうかの判断

立枯れしたものは、そのまま廃棄してもよいが、それでは収入がゼロになるので、発生の原因や状態によっては二番発生に回せるものもある。二番に回せるのは、①培地の乾燥などで雑菌の付着がないのに枯れたもの、②キノコや培地の表面にバクテリアが繁殖しているが、培地の内部は乳白色ないし白色をしており雑菌に侵されていない、場合である。この場合は、培地の表面を菌かきして侵されている部分を取り除き、第四章で述べる二番発生の方法と同様の操作で発生させる。

なお、培地の内部が茶色（バクテリアの侵入）や青色（トリコデルマの侵入）になっている場合は、キノコが発生しないばかりか栽培室汚染の原因にもなるので、必ず廃棄する。また、トリコデルマに侵されている場合は、たとえ表面だけの付着でも菌が強いので二番発生に使わないほうがよい。

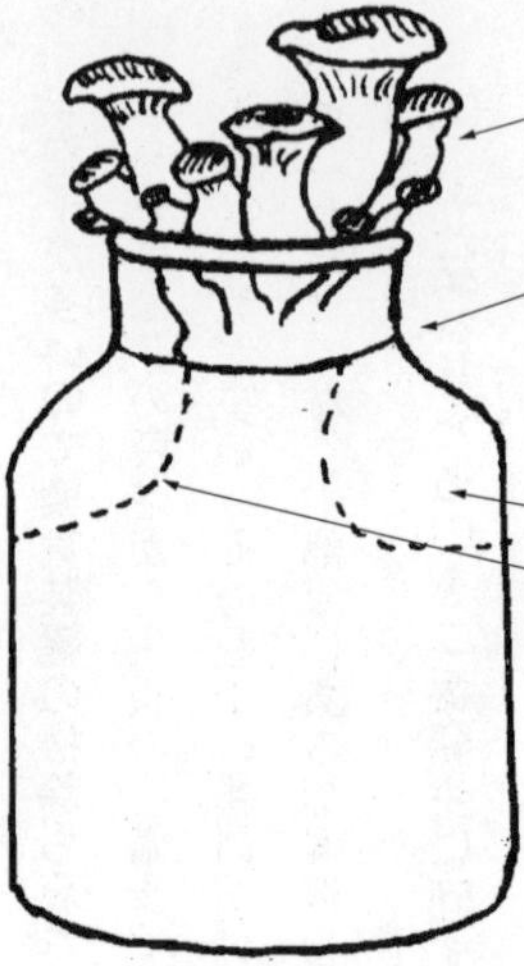

第2—5図　生育中の状態と2番発生か廃棄かの判断

(8) 立枯れの出ない品種育成の可能性

種菌はキノコを組織分離してつくるが、なかには新しく分離しても発生環境によって立枯れが発生することもある。また、菌糸から裸の細胞（プロトプラスト）をつくり、再生させて種菌にした場合、立枯れるものと、立枯れの少ない発育良好なものとが出てくる。種菌のなかで立枯れる菌糸と発生良好な菌糸とが共生しており、栽培環境によりそのどちらかがあらわれるという説がある。

また、立枯れの少ないプロトプラスト由来の菌糸から、さらにプロトプラストをつくって、立枯れの少ないものを選抜していくと、立枯れの少ない品種が作出できる可能性がある。これらを品種改良の一つの手法として利用することは今後の課題といえよう。

2、不ぞろいと発生むら

(1)　不ぞろい

培養日数が三〇日では不ぞろい（子実体の大きさのバラツキ）を生じることがある。処置として菌かきをやり直したり、培養期間を一〇～一五日遅らせることがあるが、それによって発生も遅れ、七〇日もかかることがある。

培養が終了した段階で、肉眼的に①完全によいもの、②一部悪いもの、③雑菌がついてだめなものに分けて、完全によいものを菌かきして発生させても不ぞろいが生じる。特に、水入れしたもの、劣化菌の使用、害菌に侵されたものなどに不ぞろいが多い。

対策としては、種菌は保存日数を一、二カ月のものを使うとか、拡大回数を〇、一回にとどめるなどして劣化しない種菌を利用する。培養日数も長めにし、五〇日とすれば少なくなる。また、菌かき後の注水を控えることも重要である。培養から発生の段階で害菌の付着があれば捨て、発生室の消毒を行なうことも必要である。

(2) 発生むら

同じ発生処理をしても、品種によって発生むら（収穫開始から終了までの期間のバラツキ）が生じる。発生期間は四～五日と集中発生するものから、一〇日以上かかるものもある。一〇日もかかると、後のほうになってキノコが枯れぎみにもなり、品質も低下する。エリンギは、ヒラタケ属のキノコのなかでは発生むらを生じやすい傾向がある。

発生期間には品種間差が大きいので、集中して発生する品種を選んで栽培したい。そのほうが、栽培の回転がよく、計画的に収穫予想もできるので有利である。

3、二回目の発生が一回目の半分以下

エリンギの通常の発生量は一番取りで一二〇～一三〇グラム、二番取りで五〇～六〇グラムと、一番取りにくらべ二番取りでは半分以下しか収穫できない。これは、培地内の栄養分が一番のキノコに吸い取られて二番では少なくなるためで、菌糸の老化とは関係ない。そのために大部分の生産者は二番取りをやめ、一番取りだけにして栽培期間の短縮を図り、年間の回転数を上げている。

筆者も、試験では二番取りまでは行なっているが、二番取りまで持っていくと雑菌の付着が多くな

り、肉質も薄くて軽く、品種によっては不ぞろいや発生むらも生じる。したがって、収量だけでなく、品質の面からも一番取りでやめたほうがよいと考えている。

ただし、菌かき後ビンに新聞をかぶせ、芽出ししても一番が発芽しない場合は、肉眼でみて内部に雑菌がある場合は廃棄するが、表面だったらもう一度菌かきをして表面の雑菌を取り除くと発生することが多い。この場合は、栄養分が充分残っているので二番取りでも一番取り並みに発生し、正常の発生よりも栽培期間は長くなるものの発生量がゼロにならないので、収入のカバーはできる。

筆者らは、二回目の発生が少なくなることに関連する種菌の老化をみるため、培地別（オガ粉種菌、寒天種菌）に保存日数、拡大回数と培養日数を組み合わせて、発生量などの調査を行なったことがある。この場合、オガ粉種菌では、種菌の保存日数（一、二、三、四、五カ月）、拡大回数（〇、一、二、三回）と培養日数を組み合わせ、寒天培地では、培地の保存日数（一、二、三、四、五カ月）、拡大回数（〇、一、二、三回）と培養日数を組み合わせて比較を行なった。

その結果、オガ粉種菌の場合は、培地の保存日数、拡大回数、培養日数の三因子を組み合わせた発生量は第2―1表①のとおりであった。発生量は保存日数一、二、三、四カ月、拡大回数〇、一回、培養日数五〇日を組み合わせた培地で多かった。また、寒天種菌の場合は、オガ粉種菌と同様、三因子を組み合わせた発生量は第2―1表②のとおりであった。発生量は、保存日数一、二カ月、拡大回数〇、一回、培養日数五〇日を組み合わせた培地で多かった。

第2—1表　種菌の拡大回数，保存日数，培養日数とエリンギの発生

①オガ粉種菌の場合

（単位：g）

保存日数 ＼ 拡大回数	培養日数 ＼ 発生量	0			1			2			3		
		30	40	50	30	40	50	30	40	50	30	40	50
1カ月	1番	17.8	38.1	79.6	49.9	62.8	118.1	41.5	123.0	67.3	62.6	30.3	107.9
	1番＋2番	45.3	45.8	117.5	59.4	99.3	144.5	91.7	149.5	54.7	102.1	68.7	134.0
2カ月	1番	18.1	5.5	41.4	12.6	62.5	113.5	71.8	48.4	90.0	82.3	83.8	73.2
	1番＋2番	34.8	55.9	98.5	71.2	103.2	137.7	107.9	71.6	101.5	95.9	104.3	95.6
3カ月	1番	25.7	26.3	98.8	67.2	20.6	90.2	64.3	71.1	63.0	45.5	61.4	48.7
	1番＋2番	75.4	79.1	126.0	105.3	80.3	120.8	83.8	85.9	81.0	58.8	68.9	54.6
4カ月	1番	26.9	126.9	100.1	61.1	25.7	109.4	61.0	16.2	48.4	19.4	69.1	89.2
	1番＋2番	90.3	155.9	134.0	104.1	66.1	119.6	75.3	19.4	54.4	67.9	80.1	108.2
5カ月	1番	33.1	67.5	108.6	55.0	69.5	84.5	22.9	48.6	59.1	65.0	46.3	83.5
	1番＋2番	51.5	89.3	123.5	70.0	113.3	103.2	22.9	54.8	61.0	66.9	56.7	83.5

②寒天種菌の場合

（単位：g）

保存日数 ＼ 拡大回数	培養日数 ＼ 発生量	0			1			2			3		
		30	40	50	30	40	50	30	40	50	30	40	50
1カ月	1番	54.6	58.8	121.8	90.1	137.7	87.7	62.2	59.4	109.4	15.8	8.0	66.1
	1番＋2番	78.3	107.1	149.2	122.3	165.2	123.3	107.0	98.0	132.9	19.2	9.0	77.8
2カ月	1番	76.4	131.1	112.1	61.5	72.5	118.8	38.1	21.5	62.2	23.7	46.2	98.6
	1番＋2番	131.1	147.8	150.5	115.5	106.6	147.5	40.0	26.3	84.4	49.9	55.7	120.0
3カ月	1番	60.2	99.9	94.9	75.0	61.1	102.5	78.3	87.2	18.8	48.9	69.4	10.4
	1番＋2番	113.1	117.2	107.9	100.0	76.3	139.1	105.8	106.3	18.8	53.4	73.4	11.3
4カ月	1番	54.1	72.3	105.1	61.1	71.3	54.2	100.7	71.7	40.9	95.0	38.9	52.2
	1番＋2番	75.2	99.7	138.7	87.9	89.0	60.2	112.5	95.9	54.1	96.8	47.1	58.2
5カ月	1番	29.3	101.6	75.9	88.1	72.2	79.3	83.3	61.8	17.3	71.5	81.0	55.8
	1番＋2番	36.5	103.6	78.5	103.0	79.3	115.6	101.8	70.7	17.3	95.5	86.2	61.4

4、「セリ科植物への寄生」の心配は不要

(1) 国と主な県での試験で問題なしと判明

一九九三年（平成五年）に愛知県でエリンギの栽培方法を確立したが、一九九四年七月に森林総合研究所九州支所から、ドイツの文献にエリンギのセリ科植物に対する病原性について記載されているので、取扱いに注意するよう指摘された。エリンギは、原産地の地中海沿岸地方などで、セリ科植物のエリンギウムの遺体に生えていたことから、ニンジンなどのセリ科植物に対して病原性があるのではないかと指摘する人がいるとのことだった。実際、問題の文献にあたったところ、栽培エリンギのなかには一部のセリ科植物を枯らしてしまう系統があるとのことであった。

この問題はエリンギ生産の成否にかかわる重要な問題なので、愛知県では廃菌床を焼却処分するように指導し、エリンギのニンジンなどセリ科植物に対する病原性の有無についての試験を開始した。病原性の試験は一九九五年八月に終了し、通常の農作物の栽培なら廃菌床を肥料として施用しても問題ないとの結論に達した。それを受けて、一九九六年一月試験栽培の中断を解除し、愛知県では本格普及に入った。

ところが、愛知県の結果を受けて、森林総合研究所九州支所や福岡、大分、宮崎、鹿児島の各県でも病原性試験を行なうことになり、同年四月にはその結果が出るまでは試験栽培にとどめることに決定された。エリンギの廃菌床の施用試験や接種試験が行なわれ、一九九七年一月にはその結果が明らかになったが、発病は、ニンジンの種子にエリンギの液体菌糸を散布する、生育中のニンジンの作土を廃菌床や種菌と取り替える、収穫物に培養菌糸を貼りつける、など極端な取扱いをしたときのみにしか確認されなかった。

この結果によって現在普通に栽培されている品種では問題がないことが証明されたが、今後品種改良のために外国から新しい品種を導入する際には、セリ科植物に対する病原性について確認したほうがよいと考える。

(2) ニンジンの生育状態も外観も大丈夫

ニンジンに添加する試験は次のように行なった。廃菌床は、①エリンギの収穫直後のもの、②ヒラタケの収穫直後のもの、③エリンギの収穫後高圧殺菌したもの、の三種類を使用した。添加方法としては、播種直前に作土へあらかじめ混入しておく方法と、土寄せ時に混入する方法とで混入割合を変えながら比較した。

第2―6図に、各処理区で収穫されたニンジンの平均重量を示した。作土へ廃菌床を混入した場合、

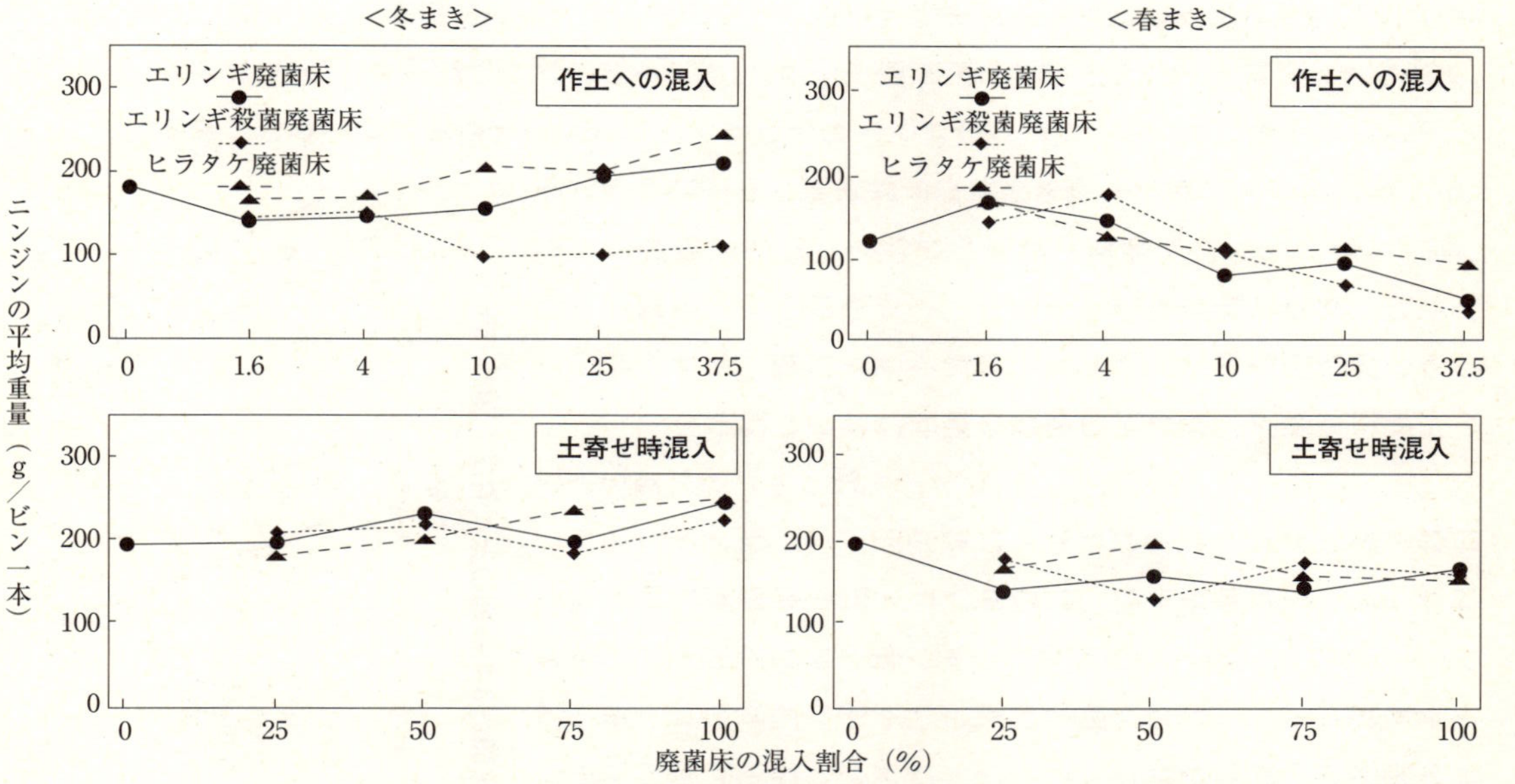

第2—6図　エリンギ廃菌床の混入割合と収穫されたニンジンの平均重量

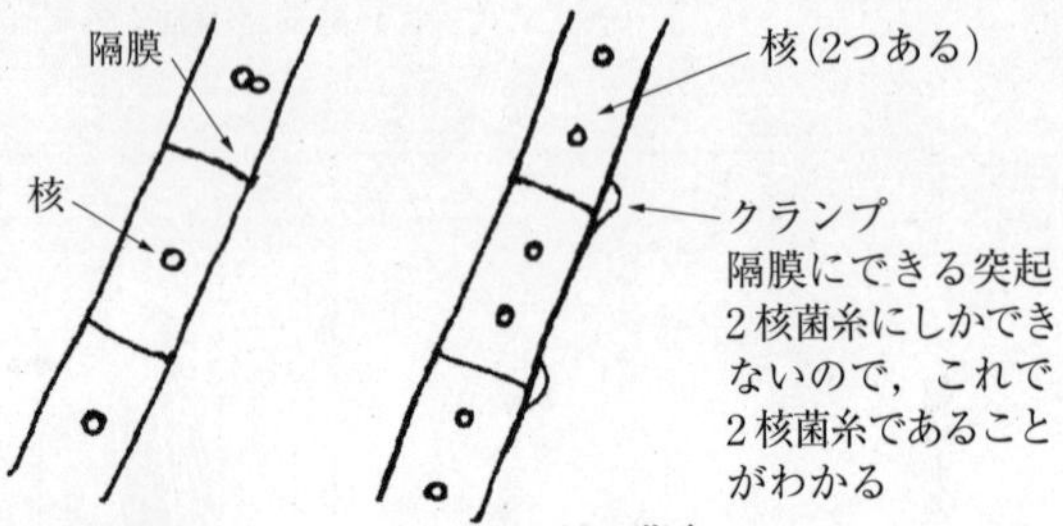
<1核菌糸>
クランプはない
<エリンギの菌糸>
2核菌糸で，クランプがある

第2−7図　エリンギの菌糸は2核菌糸

冬まきでのエリンギ廃菌床とエリンギ殺菌廃菌床を混入した処理区以外は、廃菌床の混入割合が高いほどニンジンの平均重量が小さい傾向が認められた。ただし、これらは菌床の殺菌の有無やキノコの種類にかかわらず同じ傾向なので、オガ粉を多く含んでいる菌床自体の混入量の影響であると考えられる。一方、土寄せ時に廃菌床を混入した場合は、作土表面にかぶせただけということもあって、混入量にかかわらずニンジンの重量はほとんど変わらなかった。

ニンジンに認められた外観の異常の内容は、先端が二～三の叉に分かれる、縦に大きく裂ける、ニンジンの表面が軟らかくなって腐る、穴や傷がつく、こぶができて奇形になる、の五タイプに類別できた。これらのうち「叉分かれ」と「裂け」は、それぞれ作土中の障害物と栄養過多が主な原因といわれている。また、これらの症状は廃菌床の種類や混入割合にかかわらず認められているため、エリンギ廃菌床に特異的なものではないといえる。また、「穴や傷」の多くは昆虫などの食害によるものと考えられた。

一方、奇形や腐りは、廃菌床による影響と土壌中の菌類など微生物による影響の二つが考えられる。

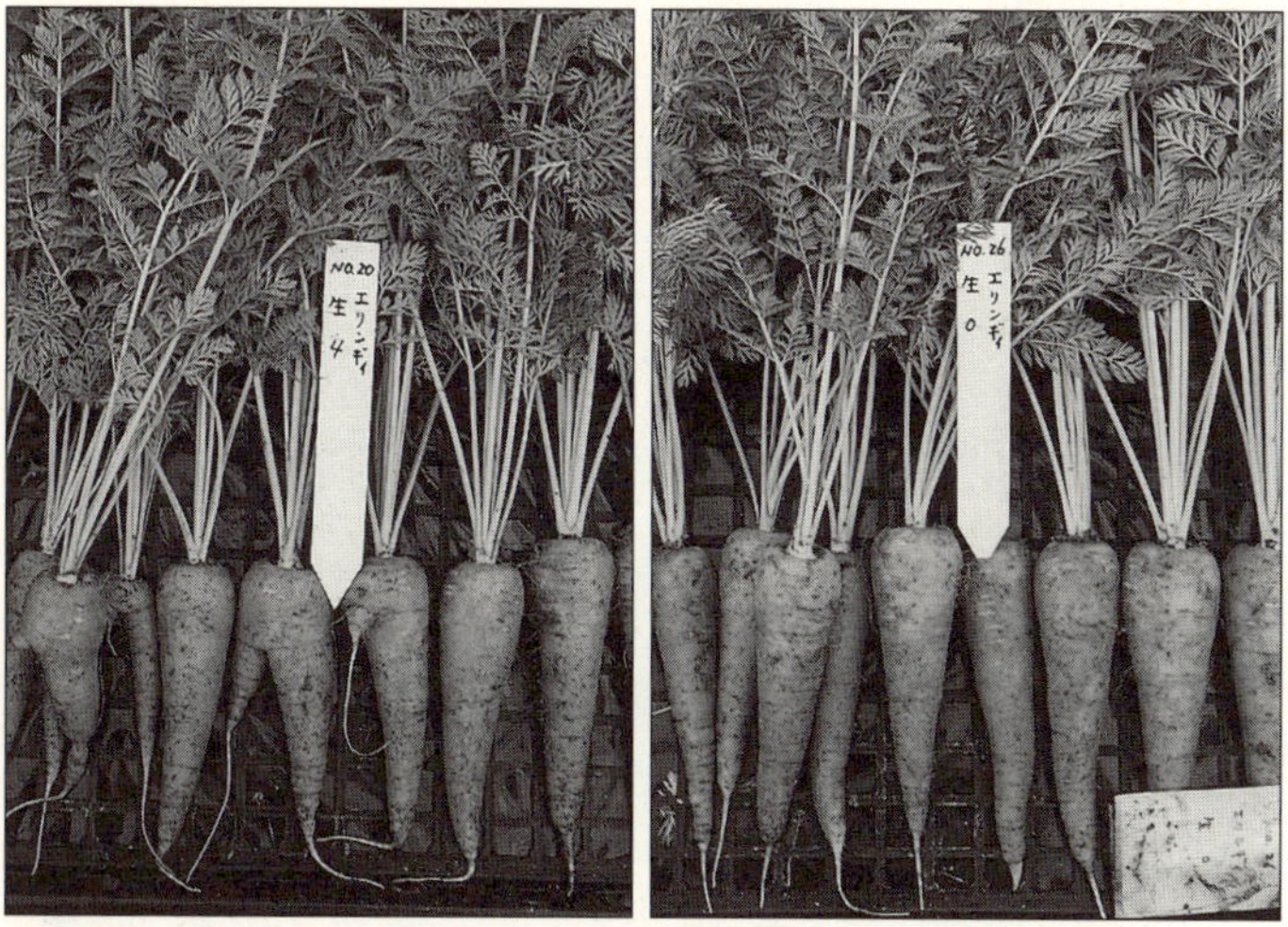

作土にエリンギ廃菌床混入（2t/10a）　　エリンギ廃菌床の混入なし

第2－8図　ニンジンの作土にエリンギ廃菌床を添加しても病気の発生はない

これらの症状がみられたニンジンの細片から分離された菌糸体を光学顕微鏡で観察したが、そのすべてにクランプは認められなかった。エリンギは二核菌糸で菌糸体にクランプという突起を持っているので（第2―7図）、今回のニンジンの腐りに対して直接的には関与していなかったと考えられる。

今回混入した廃菌床の割合は、一般的に堆肥として利用されている場合よりも多いと思われる。したがって、通常行なわれている廃菌床の土壌への施用量であれば、エリンギがニンジンへの病原となる可能性はかなり低いと考えられる。

今後はこれらを再確認し、ここまでなら大丈夫という病原性回避のためのマニュアルづくりをしたい。

(3) ニンジンを添加するとエリンギが増収

ニンジンへの影響とは逆に、ニンジンを添加することでエリンギの増収効果があるだろうか。筆者らの試験結果では、ニンジンの添加によって栽培日数への影響は認められなかったが、培養ビン一本当たり一七グラムのニンジンを添加するとエリンギの増収効果が認められた。ただし、添加量をこれ以上増やして変わらないように思われた。

市販されているニンジンの単価は一〇キロ当たり一〇〇〇～一五〇〇円なので、一七グラムでは一～二円ですみ、発生量の増加からすると充分に採算がとれると考えられる。

5、わが家に合った経営タイプの選択

経営タイプは資金額、労働力、土地面積、出荷量などによって決まるが、エリンギ栽培では夫婦二人が最小単位で、最初は小規模から始め、自信がついたら拡大する方向で考えたらよい。エリンギの価格も、今はほかのキノコより高めではあるが、生産量が増加すれば安くなることも念頭においておく必要がある。

なお、「季節兼業型」「夏休む季節専業型」「専業型」の経営試算は、巻末付録2の「経営タイプ別

収支モデル」を参照されたい。

(1) 夫婦二人の季節兼業型

夫婦二人で、週に二回（一五〇〇本×二回）培地づくりをし、三万本の保有ビンを年間四回転させる経営である。空調は暖房だけで、七～八月の高温時は完全に休み、九～四月は培地をつくり、十一～六月にキノコを毎日発生させ市場出荷する。この場合、主な施設・設備として、栽培舎（八〇坪）一八九六万円（栽培棚、空調施設、換気扇を含む）、栽培用機器一式六八九万円が必要である。

一作期間を六〇日、一ビン当たり収量を一一〇グラムとして収支試算すると、粗収入九九〇万円に対し、生産費が五三九万円かかるので、四五一万円の所得になる。これを一日当たりの家族労働報酬にすると一万四二四二円になる。

(2) 夫婦二人プラス一人で夏は休む専業型

季節兼業型とすべて同じで夏も休むが、一週間に四回（一五〇〇本×四回）培地づくりをし、六万本の保有ビンを年間四回転させる経営である。この経営では、培地づくり本数、発生本数が倍になるので、その分一人雇用する必要がある。主な施設・設備は、栽培舎（一三八坪）三二三〇万円（栽培棚、空調施設、換気扇を含む）、栽培用機器一式八五四万円が必要である。

一作期間六〇日、一ビン当たりの収量一一〇グラムとして収支計算すると、粗収入一九八〇万円に対し、生産費が一一七四万円かかるので、八〇六万円の所得になる。これを一日当たりの家族労働報酬にすると二万八六二五円になる。

(3) 常時六人程度での専業型

夫婦と雇用労働力四人の計六人で、一週間に四回（二〇〇〇本×四回）培地づくりをし、冷暖房機を使用して、八万本の保有ビンを年間六回転させ、年中発生させる経営である。この場合、主な施設・設備は、栽培舎（一六二坪）四八七五万円（栽培棚、空調施設、換気扇を含む）、栽培用機器一式一二三三万円が必要である。

一作期間六〇日、一ビン当たり収量一一〇グラムとして収支計算すると、粗収入三九六〇万円に対し、生産費が二六三二万円かかるので、一三二九万円の所得になる。これを一日当たり家族労働報酬にすると二万八五八二円になる。

(4) 菌床購入型

培養センターなどから菌床を購入し、冷暖房施設の整った栽培室で発生・収穫し出荷するタイプである。地域に菌床をつくっているところがあることが条件である。主婦のパート収入として小規模にやるとよい。

(5)　野外栽培型

野外栽培は、菌床シイタケのように袋で菌床をつくり、八月頃に培養して土に埋め、十月頃に発生させる方法である。ビン栽培とちがって大きなキノコができるが、一時的に集中して発生するのが欠点である。そのため、大きな規模での栽培はできないが、〝大きなキノコ〟を特徴に朝市や無人販売などで売るとよい。

6、多様な栽培法が開発される可能性

(1)　ビン同様に袋栽培も可能

愛知県では、三樹種のオガ粉を使って、ＰＰ袋（ポリプロピレン製袋）利用の菌床栽培を試験してみた。ビン栽培と同じ組織で培地をつくり、これをＰＰ袋に一一〇〇グラム詰め、培地の真ん中に通気孔をあけて栓をして、高圧釜で殺菌する。その後、オガ菌を接種して四〇日、四五日培養して、一番発生と二番発生をさせてみた。その結果は第2―2表のとおりであった。

第2―2表　袋栽培（PP袋）での発生量

樹　種	1番日数	2番日数	1番発生量	2番発生量	1＋2番発生量
スギ（40日培養）	63.8	86.1	198.1	58.2	256.3
ヒノキ（40日培養）	59.8	82.5	176.5	68.2	244.7
コナラ（40日培養）	64.1	82.9	175.3	19.0	194.3
スギ（45日培養）	70.1	82.4	214.0	85.2	299.2
ヒノキ（45日培養）	68.0	81.4	191.4	96.2	287.6
コナラ（45日培養）	70.3	85.8	189.7	50.0	239.7

注）培地量：1,100g

いずれの樹種の培地でも、四〇日培養より四五日培養のほうがエリンギの発生量が多かった。樹種別では、一袋当たり発生量はスギが二七八グラム、ヒノキが二六六グラム、コナラが二一七グラムであった。八〇〇ccのビン（ブロービン）栽培で四〇日培養して発生させた場合とPP袋で発生させた場合とでは、所要日数、培地重量当たりの発生量とも変わらなかった。なお、キノコ一本当たりの重さは、培地が大きいためかブロービン栽培より重かった。

ビン栽培と袋栽培では一長一短があるが、ビン栽培のほうが機械化も進んでおり作業性がいいので、エリンギのほとんどはビン栽培で行なわれている。しかし、袋栽培でもビン栽培と同じように栽培することは可能である。

(2) 野外栽培で大型のキノコを生産

福島県で行なわれている方法で、マイタケの菌床を土に埋めてキノコを発生させる方法と同じである。ヨーロッパでもこのタイプで栽培されている。

二五〇〇グラムくらいの培地を室内で二〜三カ月培養し、エリンギの発生時期の秋に合わせて梅雨の終わり頃に菌床を地面に並べて埋め、保湿などのため培地表面に稲わらを細かく切ってばらまく。夏期に高温にならないよう散水などをして管理すると、秋にキノコが発生してくる。パイプハウスを利用して寒冷紗などをかければ、発生期間も長くなる。ビンや袋栽培とちがって自然に近く、傘が大きくて足の太いエリンギが収穫できる。ただ、発生は自然の気候に左右されやすく、一時期に集中し、寒くなると出なくなる。

第三章

エリンギの生理・生態と品種の特徴

1、エリンギの生理・生態

(1)　エリンギとは

①ヒラタケの仲間

エリンギは、ヒラタケ、タモギタケ、ウスヒラタケ、クロアワビタケなどと同じ仲間で、ハラタケ目（Agaricales）、ヒラタケ科（Pleurotaceae）、ヒラタケ属（Pleurotus）に属するキノコである。学名はプレオロータス・エリンギィ（*Pleurotus eryngii*）という。

②自然界ではセリ科植物に寄生

エリンギは、大型のセリ科植物エリンジウムの根に寄生し、枯死した根や茎からキノコを発生させる。主にリグニン質を分解する白色腐朽菌で、ヒラタケにくらべると腐朽力は弱い。

③形態的特徴

傘は発生初期は丸く、開き始めると平らになり、やがて中央がくぼんでくる。表面はわずかにビロード状で、径は四～五センチ、色は灰褐色から赤褐色である。

ヒダは白または濁った黄土色で、垂生する。

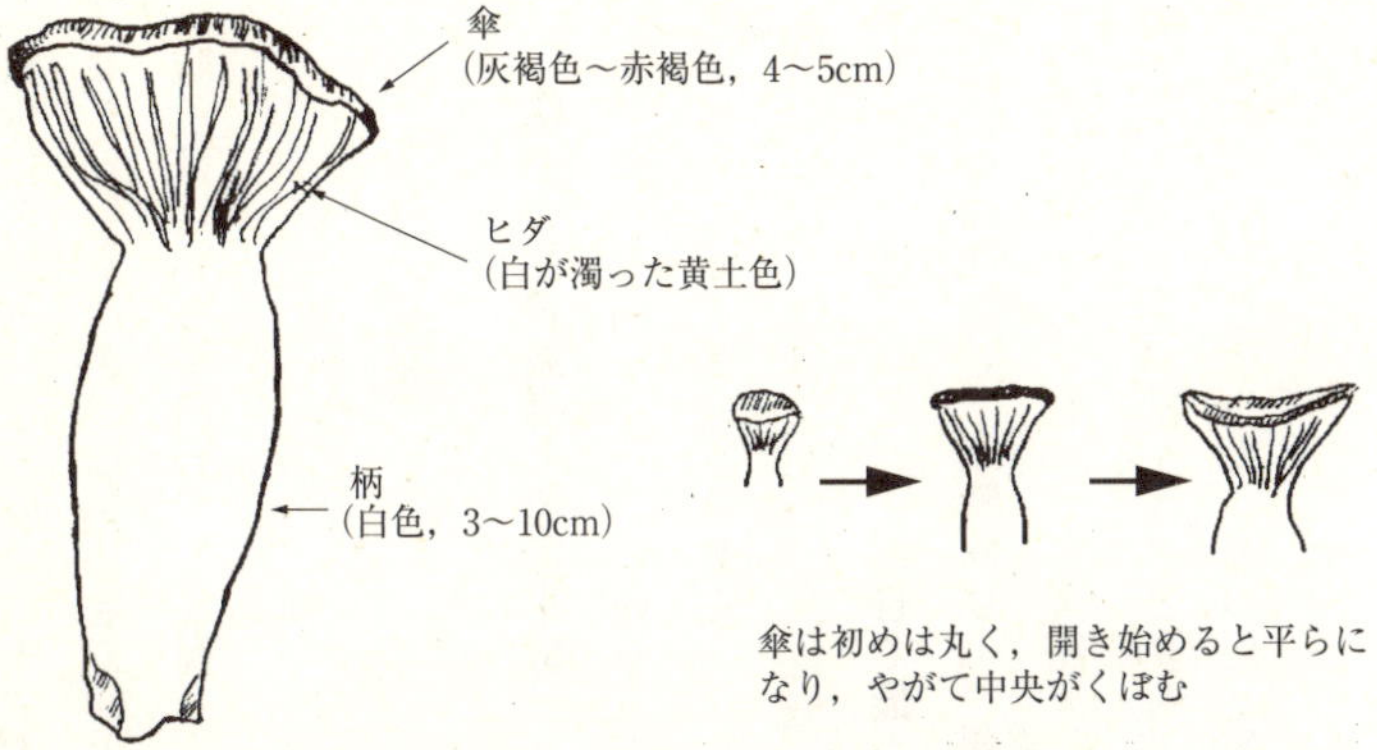

第3－1図　エリンギの形態と傘の変化

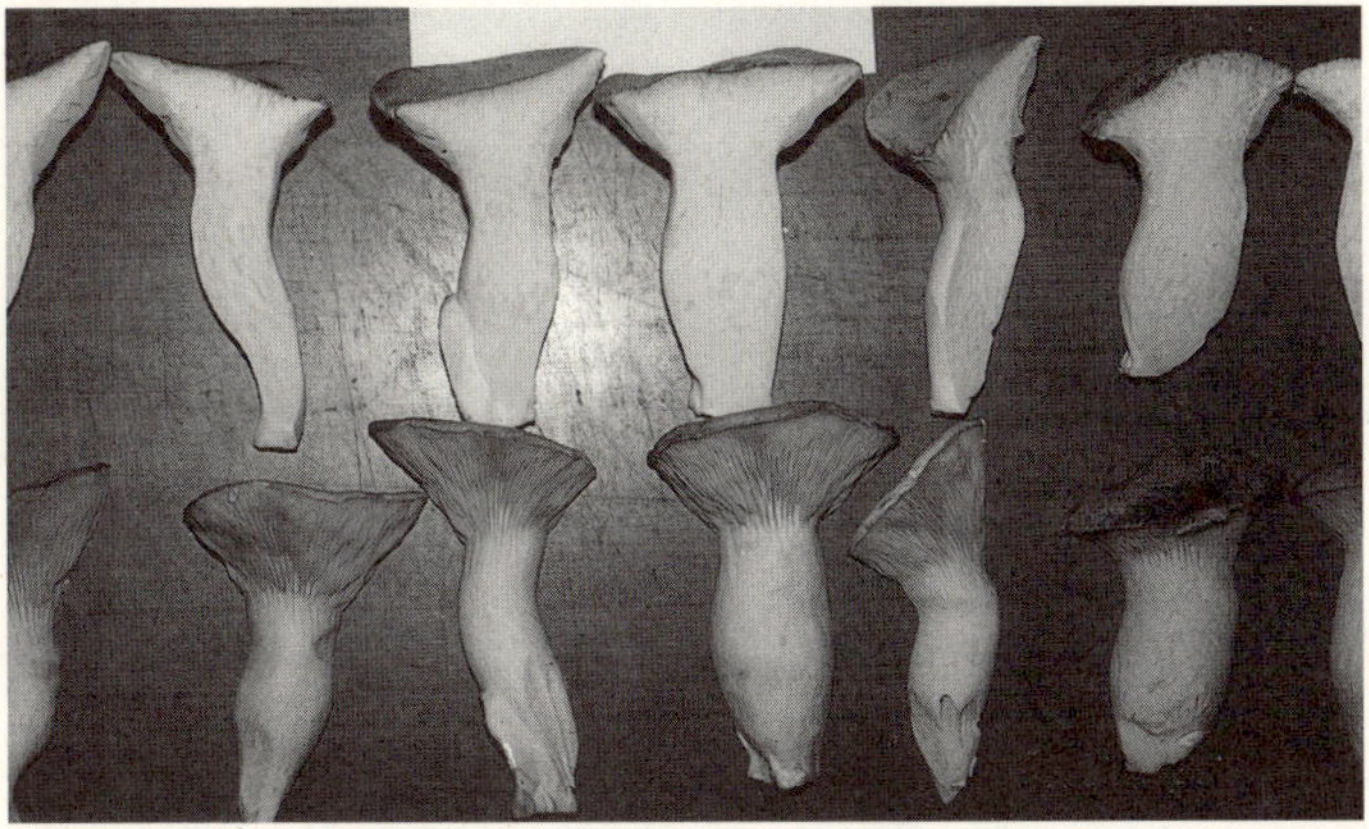

第3－2図　エリンギの形態

上段は半分に割った断面

柄は白色で、三〜一〇センチで太くて先が細く、表面は平滑。野生のエリンギは柄の中心をはずれて傘が着生するが、ビン栽培では中央に着生する。

胞子は透明な楕円形で、長径八〜一〇ミクロン、短径四〜五ミクロン。胞子紋は白から灰紫色である。

(2) 生理的特徴

①菌糸の生育温度と培養日数

菌糸の生長適温は一〇℃から五℃おきに調査したときは二五℃であり、愛知県の七月、九月の平均気温に当たる。愛知県林業センターで、培養温度別の菌糸の伸長量をPDA培地（ジャガイモ寒天培地）で一〇日間測定したが、二五℃で最もよかった（第3―3図）。また、二四℃から二℃おきに調査したときは二六℃と二八℃で最もよく、培養温度は二七℃くらいが最適だといえる。菌糸は、PDA培地では四五℃、五時間以上で死滅する。また、オガ粉培地では四五℃、一五時間以上で死滅する。

愛知県林業センターで、スギオガ粉とフスマの配合比を一〇：五とした培地を用いて、培養日数と発生量の関係を調査した。その結果、エリンギの発生量は三〇日培養で最も多く、これより短くても長くても発生量は少なくなった（第3―5図）。なお、培地条件によって培養日数や発生量は異なる。

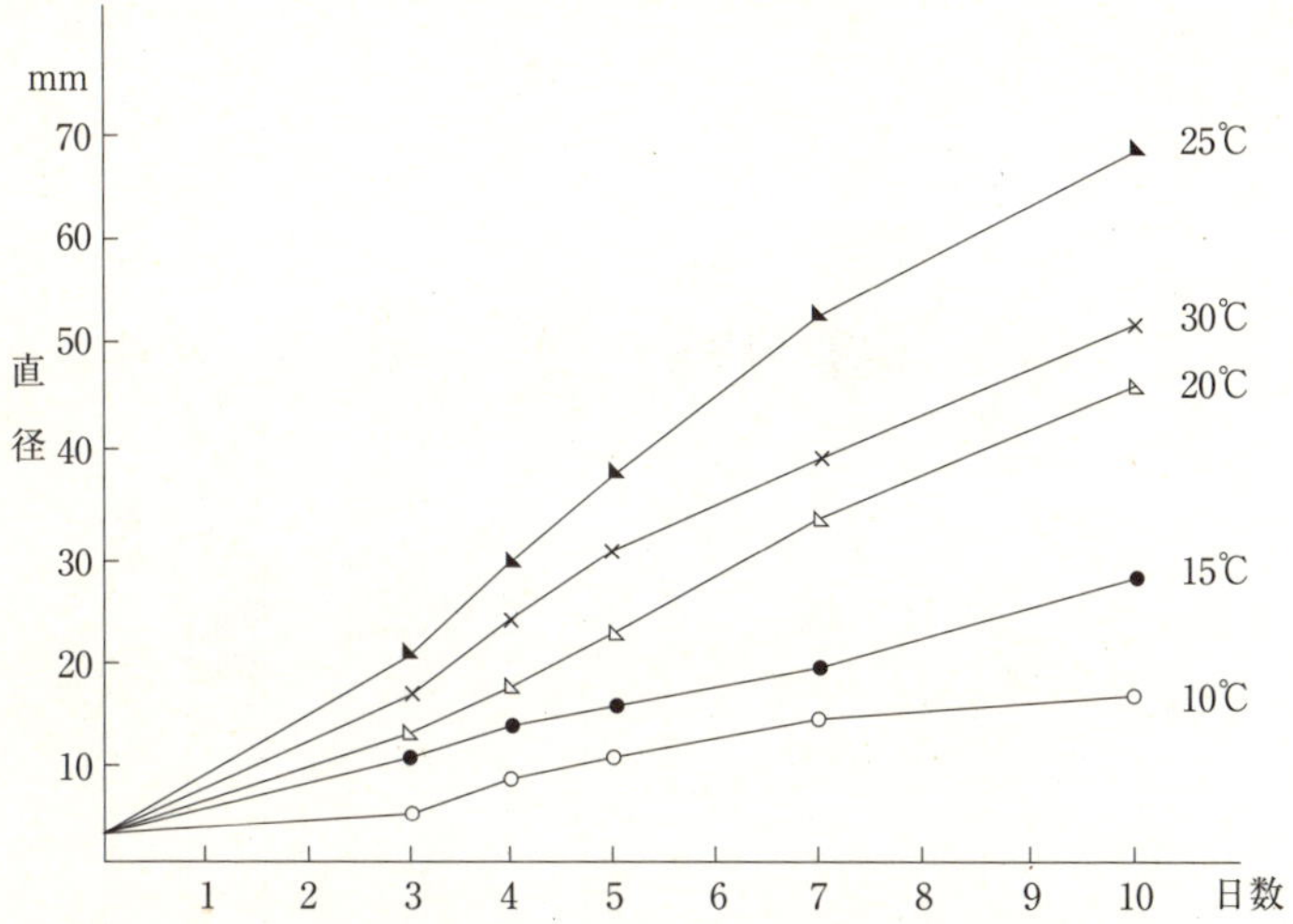

第3−3図　温度別菌糸の伸長量（10℃〜30℃，10日間の測定）

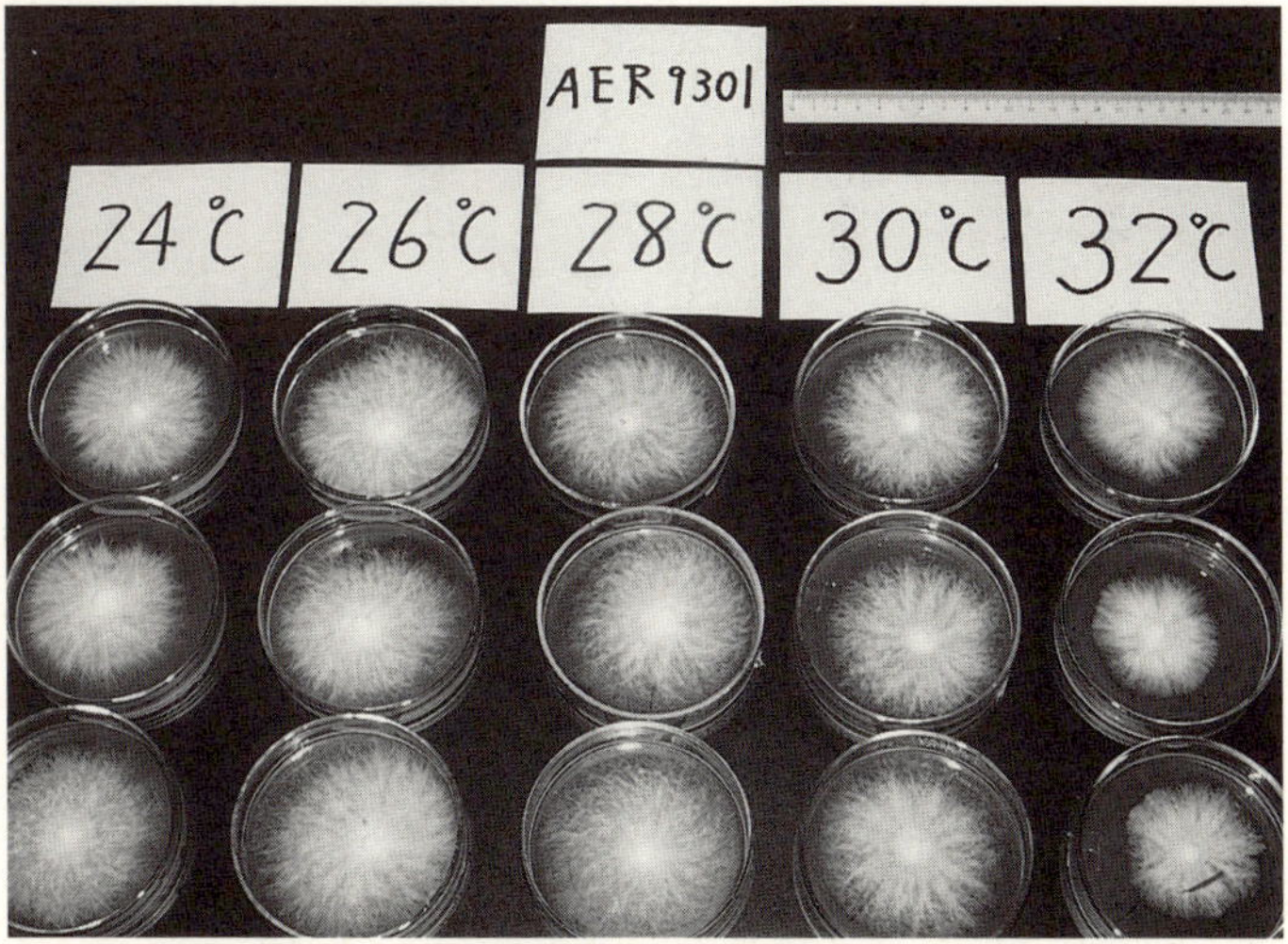

第3−4図　温度と菌糸の伸長量（24℃〜32℃での比較，AER9301）
26℃と28℃が量もよく伸長している

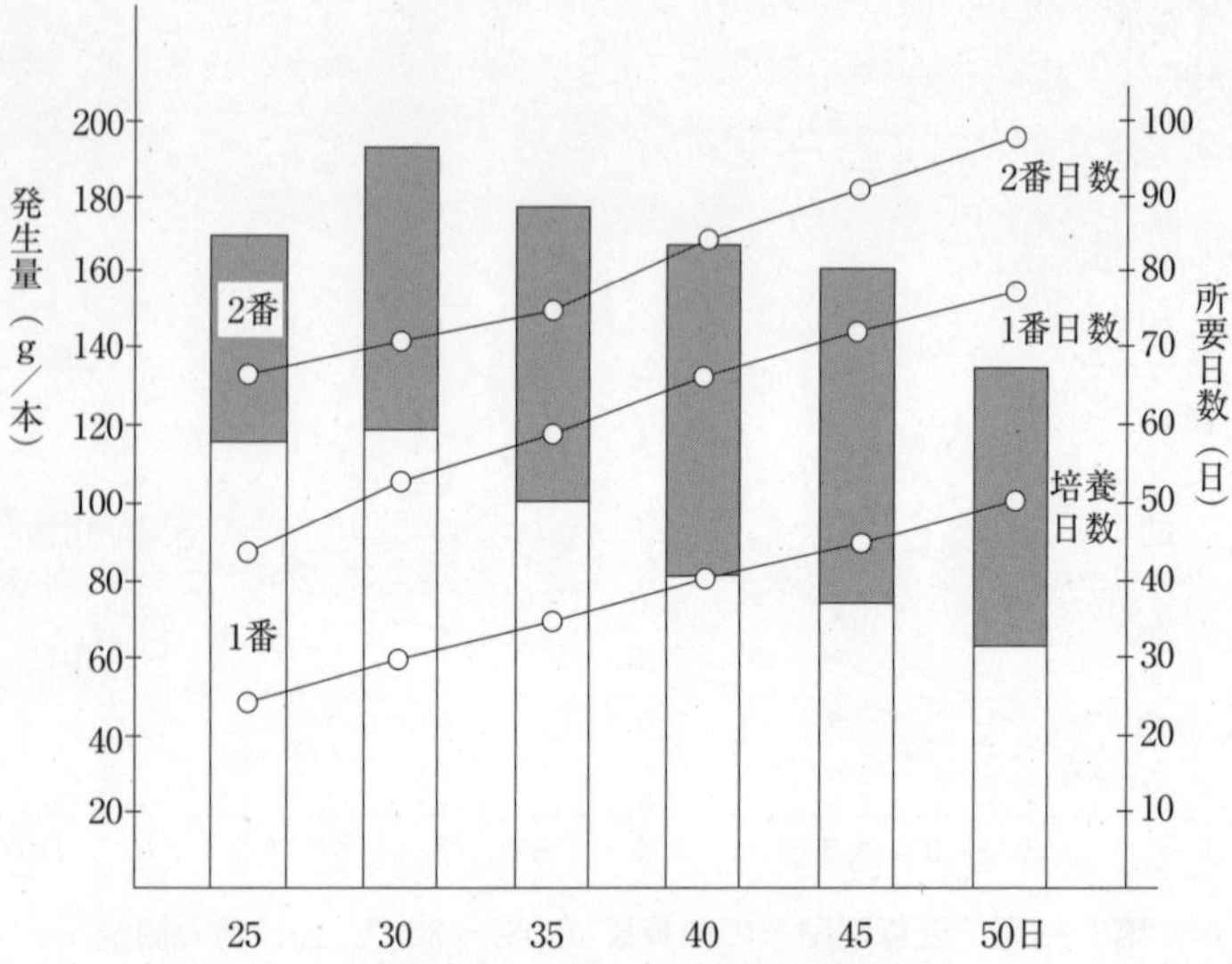

第3－5図　培養日数別の発生量

②子実体の発生適温と生育日数

子実体であるキノコは、一二～二六℃で発生し、発生適温は二〇～二三℃である。この温度は、愛知県の四～五月、十～十一月の平均気温に当たる。子実体の菌糸は四五℃で二四時間以上、五〇℃で一五時間以上経過すると死滅する。

なお、発生（菌かき）から収穫までの所要日数は、ビン栽培では一番、二番収穫とも約二〇日、二番で七〇～七五日である。

③CO_2濃度

エリンギの場合、CO_2濃度〇・〇八パーセント以下で正常なキノコが発生する。大気のCO_2濃度が〇・〇三パーセントなので、その約三倍の濃度に当たる。CO_2濃度が上がり、〇・二パーセントを超えると、キノコの傘が小さくなる。そして、〇・四パーセント以上では、キノコの原基（子実体の基となる部分）は早く生じるが、発育障害が起こりやすい。

④湿度条件

エリンギにとって、湿度八〇～九〇パーセント（新聞紙がやや湿っぽい状態、愛知県の七～十一月の朝九時頃の湿度）が適湿である。九〇パーセントを超えると菌糸の生長は促進されるが、キノコの発生は不良になる。

なお、エリンギは降雨の少ない乾燥している地域が原産なので、シイタケや他のヒラタケ属のキノコとくらべてやや乾燥ぎみの条件を好む。実際の栽培でも、菌かき後の水入れをしないほうが発生・収量ともよいという結果が出ている。

⑤光への反応

キノコの形成に必要な照度は、一二五～二七五ルクス（本が読める程度の明るさ）くらいである。明るすぎると、キノコの傘の色が黒くなる。暗すぎると、傘の色が白く、足が長くなる。

⑥適正pH

pH六・〇～六・五が適しており、pH四・〇以下と八・〇以上では子実体の原基が形成されにくくなる。

2、原産地の分布と発生環境

エリンギの原産地はスペイン、フランス、イタリア、ハンガリーなどのヨーロッパ、インド、パキスタン北部などの西アジア、モロッコ、アルジェリアなどの北アフリカで、これらの地域の山地や乾燥地に分布している。

気候的には、地中海性気候とステップ気候の地域である。温暖（気温は夏二〇～三〇℃、冬一〇℃くらい）で年間降水量五〇〇～七〇〇ミリと少ないので、植生は灌木交じりの草地が発達している。

3、エリンギの栽培品種と特性

(1) 栽培品種の特性

一九九八年（平成十年）十二月、種苗法の全面改正によってエリンギは農林水産物に指定され、品種登録の権利が取得できるようになった。愛知県林業センターでも、この間に開発したエリンギの新品種「とっとき1号」と「とっとき2号」の品種登録申請を行ない、一九九九年十一月の出願公表となった。なお、交配に使った菌株の特徴は第3―1表のようである。

一方で、一九九六年に入手したD産とC産のエリンギの菌株を用いて、発生量などの栽培特性を調査した。また、同じ年に多胞子交配で選抜した四菌株を用いて、培養日数（三〇、四〇、五〇日）、オガ粉に対する添加物の配合比（オガクズ：フスマ：コーンブラン＝一〇：三：〇・五、一〇：三・五：〇・五、一〇：四：〇・五）を組み合わせて発生量などの栽培特性の調査も行なった。

これ以外にも導入・育成されており、おそらく全国で十数種の品種が栽培されていると考えられる。ここでは、愛知県林業センターで保存している菌株について、その特性を紹介する（第3―2表）。

接種後から発生までの所要日数は、九品種の平均が約六一日で、AER９５０１が最も短くて約五六日、Cが最も長くて約六七日であった。一本当たりの発生量（一番のみ）は九品種の平均が約一二六グラム、71－4－25が最も多くて約一五一グラム、Hが最も少なくて約一〇一グラムであった。また、一本当たりの重量は九品種の平均が約三一グラムで、Hが最も重くて約五八グラム、5－3－21が最も軽くて約一九グラムであった。なお、5－3－21、71－4－25は愛知県で育成した「とっとき1号」、「とっとき2号」である。

今後は、所要日数の最も短いAER９５０１と、発生量が最も多い71－4－25と、一本当たりの重量が重いHとを交配すれば、さらに優秀な品種が作出できるのではないかと考えている。

第3－1表　交配に使った3菌株の概要

菌株	入手先	所要日数	発生量	特　徴
AER9301	台湾	中	普	肉質硬い，足の太さ中
AER9501	東京農大	短	多	本数多い，足の太さ細
AER9502	台湾	長	少	本数少ない，足は太い

第3－2表　栽培品種と特性

品　種	発生所要日数	発生量	個重	特　徴
AER9301 (カオリヒラタケ)	日 60.3	g 124.3	g 41.3	肉質硬い，個重は重い
AER9501	55.8	144.3	31.6	所要日数が短い 発生量多い
AER9502	60.5	121.4	28.9	すべて中庸
D	60.3	134.5	26.2	注水ありのほうが発生量多い
C	66.6	102.6	24.1	所要日数が長い
H	61.3	100.7	57.5	発生量少ない 個重は重い
K	61.3	136.3	22.0	注水ありのほうが発生量多い 個重は軽い
5－3－21 (とっとき1号)	59.6	119.8	19.2	個重は軽い
71－4－25 (とっとき2号)	60.8	150.8	31.7	発生量多い
平　均	60.8	126.1	31.4	

注）条件　培地の配合比　オガ粉：フスマ：コーンブラン＝10：3.5：0.5，ブロービン：800cc，培養日数：40日，注水なし，発生量：1番

第3−3表　主な品種の特性

	従来品種（AER9301）	とっとき1号	とっとき2号
1ビン当たりの発生量	107g	136g	132g
発生期間のばらつき	ばらつく（12日間）	集中（6日間）	集中（6日間）
1サイクルの栽培期間	56日	50日	53日
キノコの形状	やや大きい，中央がくぼむ	小さい，中央がくぼむ	大きく，中央は平ら
傘の色	淡い灰褐色	淡い灰褐色	濃い灰褐色
肉質	硬い	硬い	やや軟らかい
鮮度の維持	冷蔵庫で1週間以上	冷蔵庫で1週間以上	冷蔵庫で1週間以上
発生温度	13〜15℃	13〜15℃	15〜17℃

(2)　主な品種とその特性

①「とっとき1号」

愛知県の育成品種で、一九九三年（平成五年）に台湾から導入した「ＡＥＲ９３０１」と、一九九五年に東京農業大学から分譲してもらった「ＡＥＲ９５０１」との交配品種である。形状は、傘が小さく中央がへこみ、色は淡い灰褐色で肉質は硬い。発生温度は一三〜一五℃が最適である。一ビン当たりの発生量は一三六グラムで、発生は集中性があり一サイクルの栽培期間は約五〇日である。また、冷蔵庫で一週間以上鮮度維持ができる。交配により、両親のよい性質を受け継いでいる。

②「とっとき2号」

愛知県の育成品種で、一九九五年に東京農大から分譲してもらった「ＡＥＲ９５０１」と、一九

①とっとき1号

②とっとき2号

第3－6図　愛知県で育成した品種

九五年に台湾から導入した「ＡＥＲ９５０２」との交配品種である。形状は、傘が大きく中央が平坦になっている。傘の色は濃い淡灰褐色で肉質は軟らかい。発生温度は一五～一七℃が最適である。一ビン当たりの発生量は一三二グラムで、発生は集中性があり一サイクルの栽培期間は約五三日である。また、冷蔵庫で一週間以上鮮度維持ができる。この品種も交配により、両親のよい性質を受け継いでいる。

③「ＡＥＲ９３０１」

一九九三年に台湾から導入した品種で、愛知県ではこの品種を「カオリヒラタケ」と命名して、五～六年使用してきた。形状は、傘がやや大きく中央がくぼみ、傘の色は淡い灰褐色で肉質は硬い。発生温度は一三～一五℃が最適である。一ビン当たりの発生量は一〇七グラムで、発生はばらつきやすく一サイクルの栽培期間は約五六日である。また、冷蔵庫で一週間以上鮮度を維持できる。

第四章

エリンギ栽培の実際

1、施設の条件と設備

(1) 培養室と施設

①培養室の条件と必要な機器

培養施設は、エリンギの種菌を接種した培地に菌糸をスムーズに、しかも雑菌が付着することなしにまんえんさせるための施設である。

培養室の温度は二三℃、湿度は六五~七五パーセント、明るさは初期~中期は暗黒、後期には光が必要である。また、CO_2濃度は〇・二パーセント以下になるよう吸排気できることが条件になる。そのため、温度を二三℃に調節できる冷・暖房機、湿度を六五~七五パーセントに調節できる加湿機、培養中は暗黒でよいが作業ができる明るさを確保するための蛍光灯、CO_2濃度を調節するための換気装置などが必要である。

②培養室の面積

培養室に必要な面積は次のようにして決める。培養室には、一・五坪（約五平方メートル）当たり通路を三分の一、コンテナ（ビンが四×四＝一六本入る）を七段に積む場所を三分の二とると、一六本×八コンテナ×七段×二カ所＝一七九二本の培地が置ける（第4―1図）。これを坪（三・三平方メートル）当たりに換算すると一一九二本となる。一日当たりの培地の作成本数に培養日数（三〇～四〇日）を掛けて、一一九五本で割ると、必要な培養室の面積になる。通路は九〇センチになるが、コンテナの出し入れなど作業性から、この程度はほしい。

　また、最下段のコンテナは地上二〇センチの高さにして、上下のコンテナの間隔を一八センチとると、七段で最上階のコンテナは一二八センチになる（18×6＋20＝128）。コンテナを出し入れするので、作業するにはこの程度の高さまでが限度といえよう。

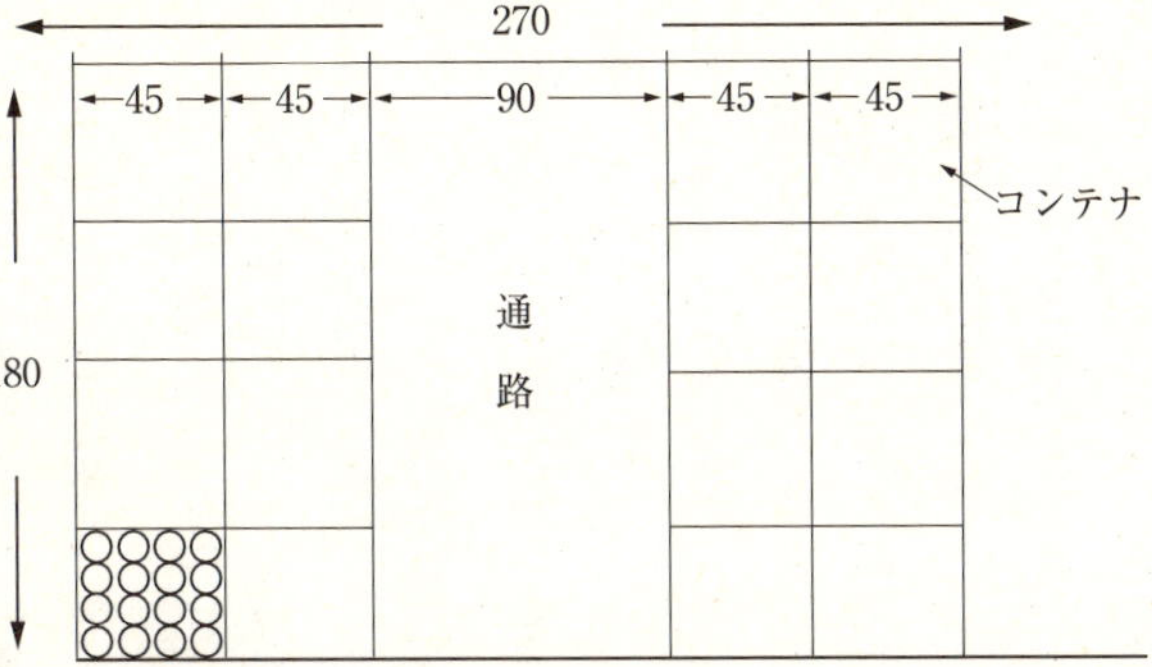

第4―1図　培養室の面積の決め方（単位：cm）

(2)　栽培室と栽培施設

①栽培室の条件と必要な機器

　栽培室は、培養した培地から芽を出させ、キノコを大きくして収穫する施設である。芽出し室と生育室は別々のほうが管理しやすいが、一つでもよい。

芽出し室は、菌かきした培地表面が乾かないように、ビン口に新聞紙や有穴ポリをかけるか、またはビンをさかさに立てて、キノコの芽を出させる部屋である。温度は一五～一七℃、湿度八五～九〇パーセント、二〇〇ルクス程度の明るさ、CO_2濃度は〇・二パーセント以下に調節することが必要である。芽出し期間は一〇日くらいであるが、キノコがビンの口につかえるようになったら、新聞紙や有穴ポリを取り除き、また、さかさのビンを正立させてキノコを生長させてやる。なお、生育室への移動もこの時期に行なう。芽出し室と生育室の条件はほぼ同じでいいが、生育中はCO_2の発生が多くなるので、特に換気への注意が必要である。

そのため栽培室には、まずビンのキャップを取って菌かきし、注水しないで新聞をかけた培地の温度を一五～一七℃に調節できる冷房機や暖房機が必要である。その他、湿度を八五～九〇パーセントに調節できる加湿機、明るさが二〇〇ルクスくらいの蛍光灯、CO_2濃度を〇・二パーセント以下にするための換気装置などが必要である。

②栽培室の面積

栽培室に必要な広さは次のようにして決める。栽培室一・五坪（約五平方メートル）当たりに通路を三分の一、棚の置き場を三分の二とると九〇センチ×一八〇センチで二棚できる。一棚は四段で、一段に八コンテナ並べられる。つまり、一六本×八コンテナ×四段×二棚＝一〇二四本の培地が置けることになる。これを坪（三・三平方メートル）当たりに換算すると、六八三本の培地が置けることになる。一日当たりの培地の作成本数に二〇～二五日を掛けて六八三本で割ると、栽培室の必要面積が算出できる。

栽培室は、四段にコンテナを並べるが、これは最下段を地上二〇センチの高さにして、上下のコンテナの間隔を三五センチとると、四段で最上階のコンテナは一二五センチになる（35×3＋20＝125）。

(3)　設備と機器

①主な設備と機器

エリンギ栽培の設備としては、換気扇、空調機（暖房機、通年なら冷暖房機）、殺菌釜、加湿器、栽培棚、撹拌機、チェーンコンベア、詰め機、自動接種機、菌かき機、かき出し機が必要である。

培地作成スペースには、換気扇、殺菌釜、撹拌機、チェーンコンベア、詰め機などを設置する。また、冷却室には換気扇、冷房機を、接種室には換気扇、冷房機、自動接種機などを設置する。さらに、培養室と栽培室には前に述べたように換気扇、冷暖房機、加湿機、栽培棚を設置する。そして、通路には菌かき機、出荷スペースにはかき出し機を設置する。

②殺菌釜は常圧、高圧どちらでもＯＫ

現在、菌床の殺菌には高圧釜か常圧釜が使われている。高圧釜は温度が高く短時間で殺菌できるメリットがありおすすめだが、値段が常圧釜の五倍くらい高い。一方、常圧釜は温度が低く長時間殺菌

第4－2図　培地の自動ビン詰め機

しなければならないが、値段が安いという特徴がある。

エリンギは菌の伸長が遅く雑菌に弱いので、ほかのキノコにも増して菌床の殺菌を確実に行なわなければならないが、どちらの釜でも殺菌の目的は達せられると考える。肝心なのは、それぞれの釜の性質を知って、殺菌時間や温度を守って使うことである。したがって、エリンギを栽培するからといって、現在ある常圧釜を高圧釜に買い換える必要はない。また、新規に購入する場合も常圧釜で充分である。

③撹拌機、詰め機

撹拌機　培地材料のオガ粉、フスマ、コーンブラン、水などを均質に混ぜて培地を調整する機械である。撹拌能力は二五〇本分から五五〇〇本分くらいまで各種あり、一日につくるビンの本数に合わせた能力の機械を選ぶとよい。

詰め機　撹拌機で調整した培地をビン詰めする機械で、詰め込みから穴あけまで自動ででき、培地の量も一定にできる。さらに、詰め込みからキャップ掛けまで自動でできる機械もできている。

④自動接種機

自動接種機は、殺菌釜で殺菌・冷却した培地にオガ菌を自動的に接種する機械である。ビンをコンベアに乗せるだけで接種作業（ビン送り→ビンのふたあけ→菌の接種→ビンのふた締め→ビン送り）が自動的に行なえる。この機械を使えば、一人で一時間二〇〇〇本の接種ができる。

⑤菌かき機、かき出し機

菌かき機　培養してビン内に完全に菌糸がまんえんし、発生操作するときビンのふたを取って表面の接種菌や培地をかき取る機械である。なお、エリンギは平がきで、菌かき後の注水はしなくてよい。

かき出し機　発生の終わったビン内の培地をかき出す機械である。かき出した培地は培地のリサイクルや堆肥の材料として利用する。

⑥台車、コンテナ

台車はコンテナを殺菌釜から冷却室、冷却室から接種室、接種室から培養室、培養室から栽培室、栽培室から出荷スペースまで移動するのに使用する。二輪と四輪とがあり、通路の幅などを考慮して選択する。

またコンテナは、八〇〇または八五〇ccブロービンを一六本入れる容器（かご）である。そのまま培養室に積み上げたり、栽培室で棚差しして使用する。

2、必要な材料の準備

(1) 栽培容器の種類と選び方

①ビンか袋か

エリンギの栽培には、一般に八〇〇cc（口径が五三㎜）または八五〇cc（口径が五八㎜）のブロービンを使用する。また、袋なら一〇〇〇～二五〇〇グラムの培地が入るものを使用する。

愛知県林業センターでは、容器別のキノコの発生量を明らかにするために、スギオガ粉とフスマの配合比を一〇：五という条件で、ブロービン、スーパービン、袋に区分して調査した。それによると、ブロービン、スーパービンは培地重量の三〇パーセントくらいの発生量があり、袋では二〇パーセント以下であった（第4―3図）。しかし、培地の混合割合や培養・発生のさせ方で発生量は変わるので、袋栽培も中栓をつけた状態であれば、ブロービンと同様な生産を上げることができると考えられる（培地量の三〇％の収量は期待できる）。また、スーパービンの中ぶたや袋の中栓を取って口をあ

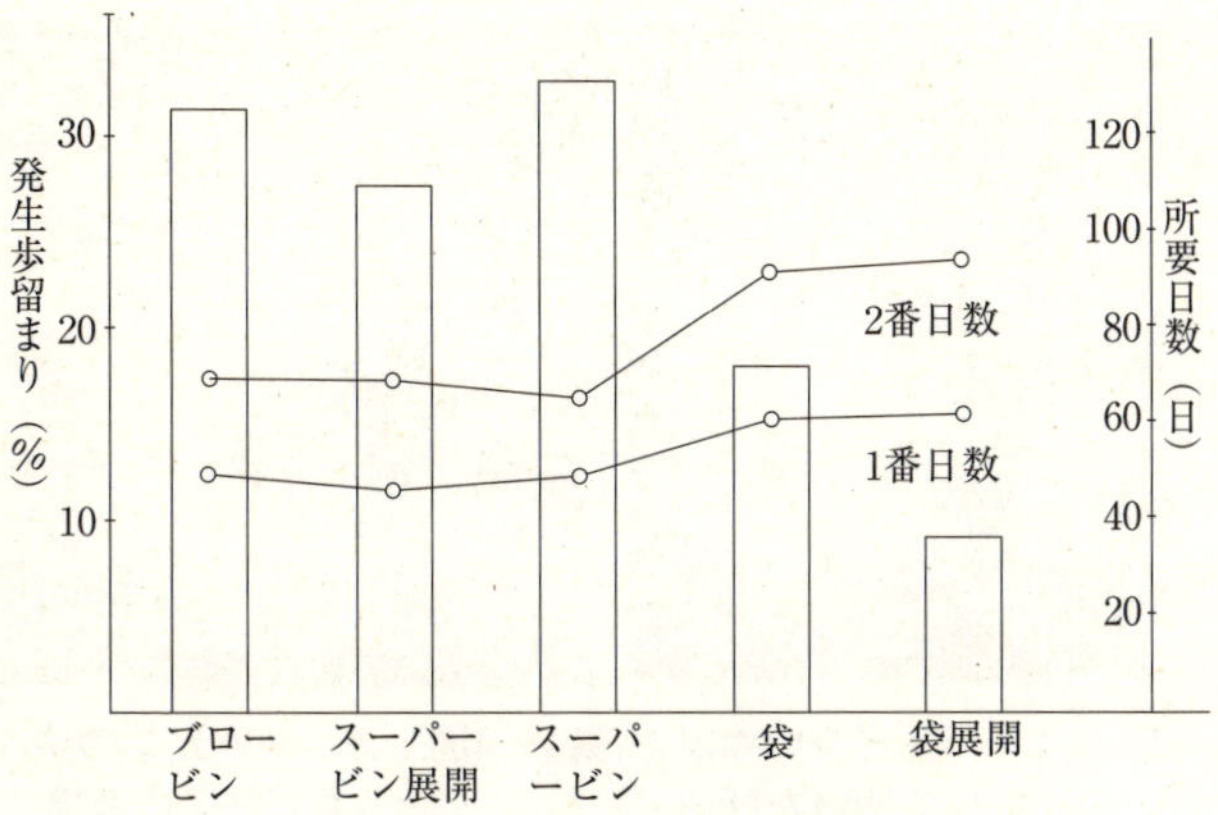

第4−3図　容器別の発生歩留まり

注）1. スーパービン展開は，中ぶたを取って栽培
　　2. 袋展開は中栓を取って袋の口を開いた状態で栽培

けた状態にすると培地が乾燥しやすくなるので、ブロービンと同じような生産は期待できない。

②ビンの洗浄と袋の廃棄

ビンの耐用年数は七年程度で、くり返し使える。栽培終了後は中の培地をかき出すだけで洗浄しなくてもよい。ただし、雑菌が発生したときは洗浄する。

袋は使い捨てになるので、ふたや中栓を取り廃棄する。

(2)　培地・栄養剤——種類と選択

①オガ粉はスギ、ヒノキがよい

オガ粉は、アラカシ、ホオノキ、アカメガシワ、スギ・ヒノキの混合、ツブラジイ、イロハモミジ、アベマキ、クスノキ、スギ、オオバヤシャブシ、アカシデ、ヒノキ、クヌギは使用可能だが、ラワン類、コナラ、膨化モミガラ、ヤマザクラ、クリは単体で

第4―4図　スーパービンの中ぶたをした状態での栽培

ブロービンとほぼ変わらない生育・収量になる

第4―5図　スーパービンの中ぶたをはずして開いた状態での栽培

培地が乾燥するので発生・収量は低下する

第4―6図　中栓をつけたままの袋栽培

培地の配合比や発生のさせ方によって，ブロービン並みの生育・収量が期待できる

第4―7図　中栓を取り袋を開いた状態での栽培

ブロービンにくらべて発生・収量はかなり低下する

は発生量が少ないので、使用しないほうがよい。なお、安価で入手しやすいスギ、ヒノキのオガ粉を使うのがよい。

第4－8図　オガ粉の野積み
針葉樹のオガ粉は野積みにしてから使用する

第4－1表　オガ粉とコーンコブミールとの発生量の違い
（単位：g）

	とっとき1号		とっとき2号	
	注水あり	なし	注水あり	なし
コーンコブミール	89.9	85.0	90.9	121.1
スギオガ粉	142.0	138.0	137.3	155.0

膨化モミガラは、スギのオガ粉に六割までなら混入して使用できる。

スギ、ヒノキのオガ粉には油脂や精油分が含まれているため、毎日三カ月くらい下から水がしみ出る程度に散水処理するか、六カ月くらい野積みしてから使用する。なお、広葉樹オガ粉は雨ざらしにするとすぐに腐朽するので、これらの処理は行なわないほうがよい。

また、最近コーンコブミール（トウモロコシの茎を砕いたもの）もエリンギの培地基材として使用されるようになっているが、スギ、ヒノキのオガ粉より高価格なうえ菌糸のまわりも遅く、キノコの発生も少ないので、二〜三割の混入にとどめたほうがよい（第4―1表）。

エリンギの廃菌床は、オガ粉の代わりとして再利用が可能である。これにフスマなどの添加物を加えれば、新しい培地同様にキノコが発生する。発生までの日数や収量も新しい培地を使うのと変わらない。

②針葉樹は安価で入手しやすく発生量も多い

愛知県林業センターでは、オガ粉の樹種（一八樹種）別に、エリンギの発生量を調べてみた。その結果、エリンギの栽培には一八種中、一番発生ではアカメガシワ、ツブラジイ、ホオノキ、ヤマモミジが、一＋二番発生ではアラカシ、ホオノキ、アカメガシワ、スギ、ヒノキ、ツブラジイ、ヤマモミジの発生量が多く、所要日数も比較的短くて、最適と思われる。しかし、蓄積量、価格、入手しやすさなどを考えると、スギ、ヒノキのオガ粉で充分である。

エリンギの発生量がスギと同等あるいはそれ以上のものは、アラカシ、ホオノキ、アカメガシワ、ヒノキ、ツブラジイ、ヤマモミジ、アベマキ、クスノキ、オオバヤシャブシ、アカシデ、ヒノキ、クヌギの一二種類であり、スギよりも少ないものはラワン類、コナラ、膨化モミガラ、ヤマザクラ、クリの五種類であった。

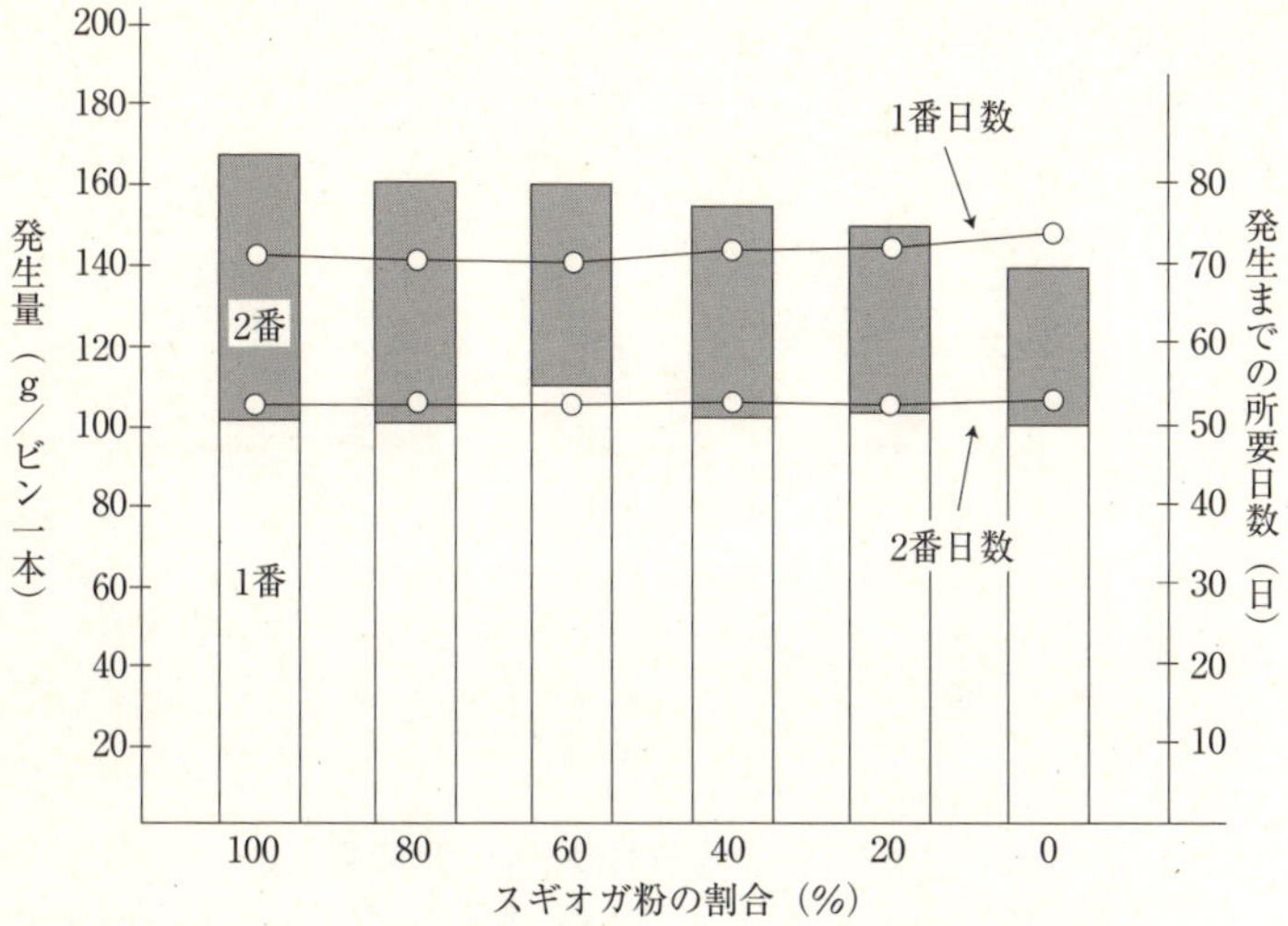

第4―9図　スギオガ粉へのコナラオガ粉の混合割合と発生量
注）培養日数はいずれも30日

また、スギオガ粉とコナラオガ粉の混合割合とキノコの発生量について調べてみた。つまり、スギオガ粉にコナラオガ粉を〇、二、四、六、八、一〇割加え、オガ粉とフスマの配合比を一〇：五にして発生量を調査した。その結果、スギオガ粉のみの場合が最も発生量が多く、コナラオガ粉が増加すると発生量が少なくなっている（第4―9図）。したがって、コナラオガ粉は使わないほうがよい。

③栄養剤（添加物）はフスマを中心に

添加物は、菌糸の伸長を促進し、発生量を増加させるために必要である。

一般には、入手しやすく安価な増産フスマやコーンブラン（コーンから油をしぼった残りかすを粉にしたもの）などを添加すると発生量が多くなる。なお、コーンブランは芽数を多くす

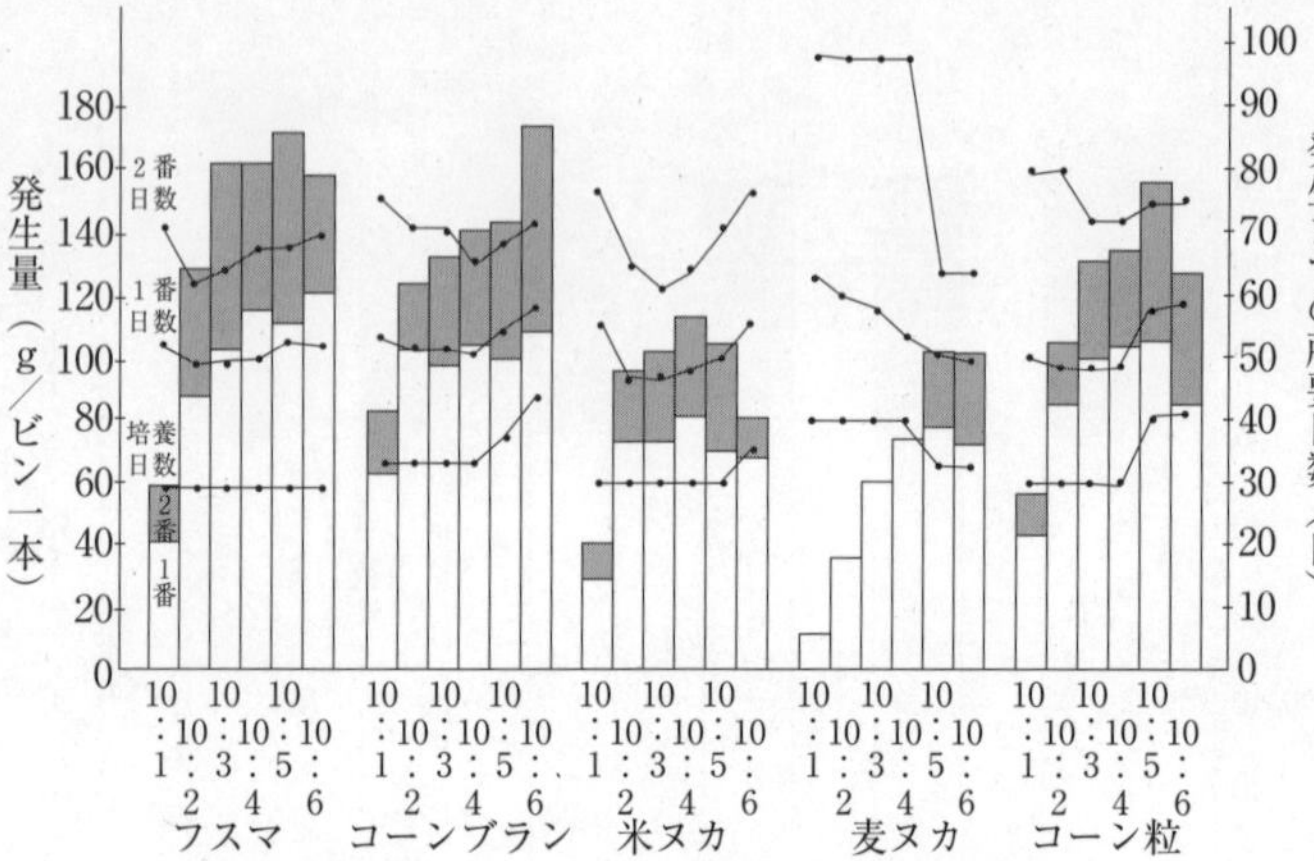

第4－10図　各種添加物の配合比別の発生量

注）各種添加物（フスマ，コーンブラン，米ヌカ，麦ヌカ，コーン粒）をスギオガ粉に混入（10：1，10：2，10：3，10：4，10：5，10：6）して発生量を比較した

る場合に、また米ヌカは芽数を少なくする場合に、増産フスマの一部に代えて使用するとよい。

各種添加物について、オガ粉との配合割合別にキノコの発生量を調べてみた。フスマ、米ヌカ、麦ヌカ、コーン粒、コーンブランの配合比を一〇：一、一〇：二、一〇：三、一〇：四、一〇：五、一〇：六に区分して発生量を調査した。その結果、添加物五種のなかではコーンブランがフスマに匹敵する発生量であった（第4—10図）。

また、スギオガ粉とフスマの配合比を一〇：三、一〇：四、一〇：五に区分してエリンギの発生量を調査したところ、配合比一〇：五で発生量が最も多く、一番発生で一三〇グラム、二番発生で六〇グラムくらいであった。所要日数は接種から一番発生で五〇日、二番発生で七〇

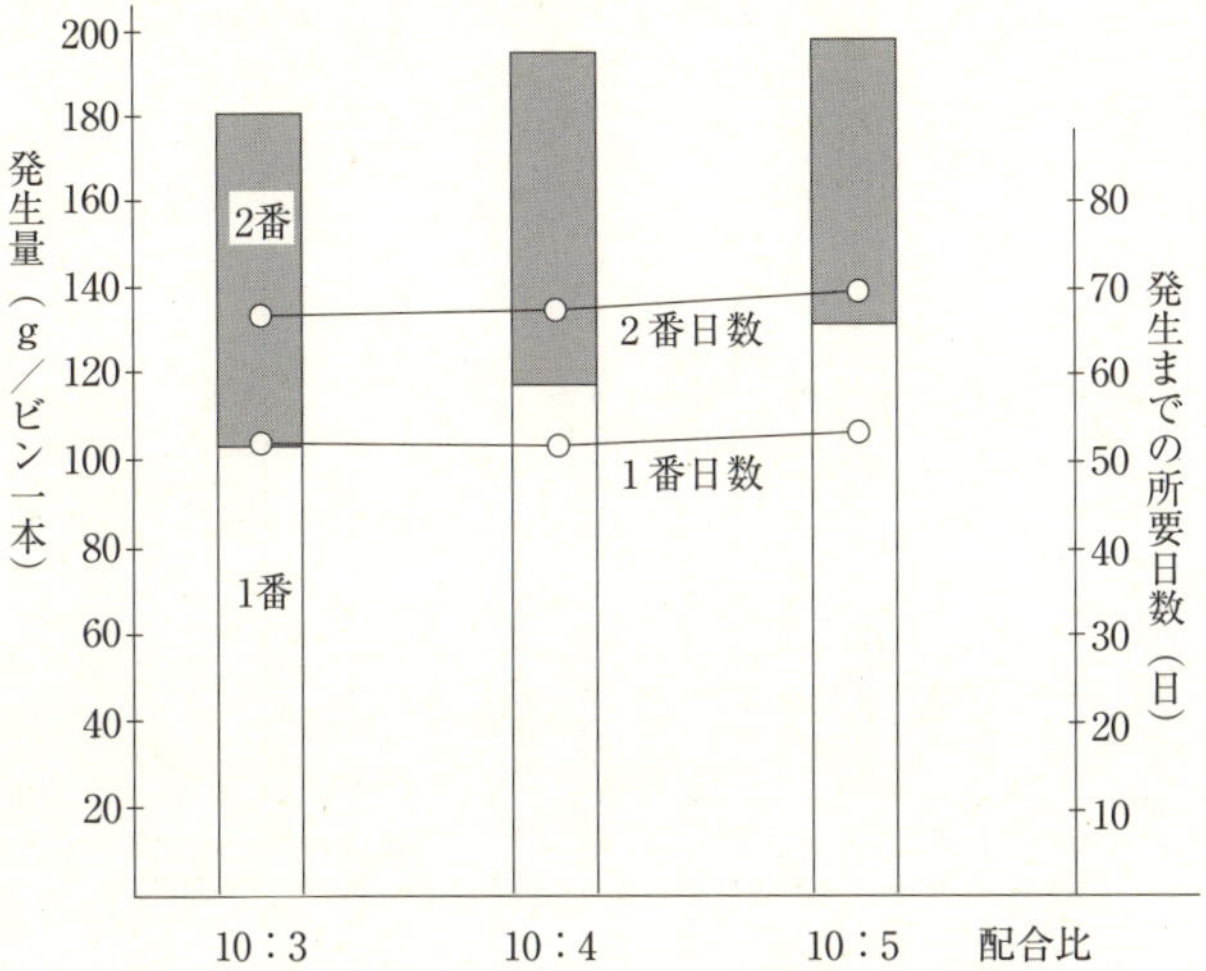

第4－11図　菌床へのフスマの配合割合と発生量

注）培養日数は30日

日くらいであった（第4―11図）。

3、栽培の実際

(1) エリンギ栽培のあらまし

エリンギの栽培はオガ粉を培地基材とするビン栽培が主で、その栽培行程は第4―12図のとおりである。

大まかにいえば、培地作成↓ビン詰め・施栓↓殺菌↓放冷・接種↓培養↓菌かき↓芽出し↓発生↓収穫という手順になる。接種から一番の発生まで約五〇日、二番の発生は一番収穫後菌かきして発生させるが、約二〇日かかる。

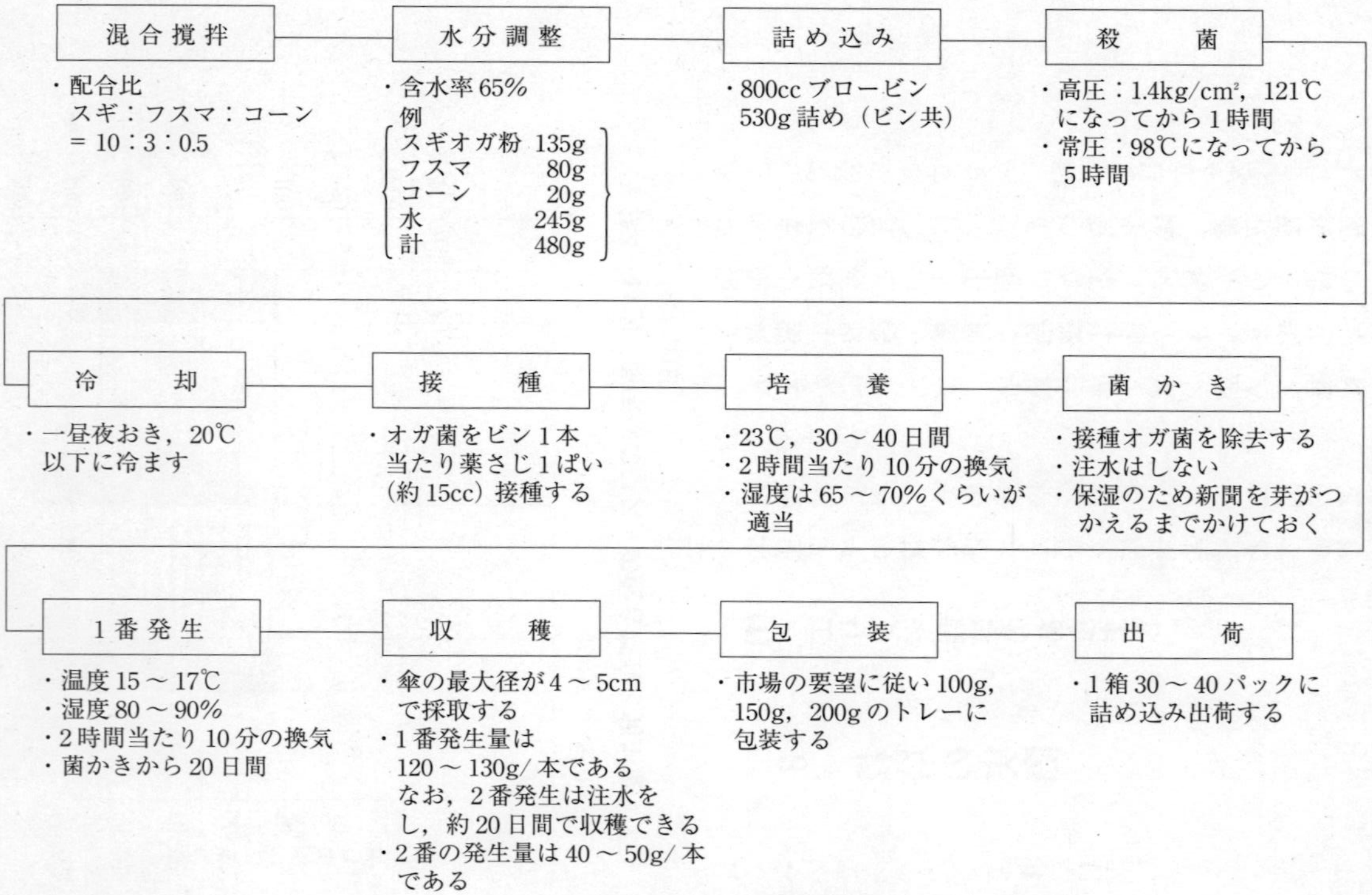
混合撹拌
・配合比
スギ：フスマ：コーン
= 10：3：0.5
水分調整
・含水率 65%
例
スギオガ粉 135g
フスマ 80g
コーン 20g
水 245g
計 480g
詰め込み
・800cc ブロービン
530g 詰め（ビン共）
殺菌
・高圧：1.4kg/cm²，121℃
になってから 1 時間
・常圧：98℃になってから
5 時間
冷却
・一昼夜おき，20℃
以下に冷ます
接種
・オガ菌をビン 1 本
当たり薬さじ 1 ぱい
（約 15cc）接種する
培養
・23℃，30 ～ 40 日間
・2 時間当たり 10 分の換気
・湿度は 65 ～ 70%くらいが
適当
菌かき
・接種オガ菌を除去する
・注水はしない
・保湿のため新聞を芽がつ
かえるまでかけておく
1 番発生
・温度 15 ～ 17℃
・湿度 80 ～ 90%
・2 時間当たり 10 分の換気
・菌かきから 20 日間
収穫
・傘の最大径が 4 ～ 5cm
で採取する
・1 番発生量は
120 ～ 130g/本である
なお，2 番発生は注水を
し，約 20 日間で収穫できる
・2 番の発生量は 40 ～ 50g/本
である
包装
・市場の要望に従い 100g，
150g，200g のトレーに
包装する
出荷
・1 箱 30 ～ 40 パックに
詰め込み出荷する

第4－12図　エリンギの栽培行程

(2) 培地の調整・詰め込み・殺菌

①培地の配合比と含水率、pH

第4—13図　培地の材料
左：オガ粉，右：フスマ

オガ粉と増産フスマ、コーンブランの配合比は、容積比で一〇：三：〇・五を標準としている。オガ粉とフスマの割合は一〇：五にしたときに発生量が最も多くなるが、柄が丸くふくらむ奇形キノコが出ることがあるので、フスマは三程度におさえるのがよい。また、コーンブランを入れるのは芽数を多くすることがねらいである。

水は手で握りしめたときににじみ出る程度（含水率〈重量〉で六五パーセントくらい）を加えるのが最もよい。八〇〇ccビン一本当たりの培地組成（重量）の目安としては、スギオガ粉一三五グラム、増産フスマ八〇グラム、コーンブラン二〇グラム、水二四五グラムの計四八〇グラムくらいの値になる。

殺菌前の含水率は発生に大きく影響し、重要なポイン

第4―14図　培地を培養ビンに詰めた状態
下部まで植菌できるよう中央に穴をあけてある

トになる。含水率が高いと菌糸の伸びが悪く雑菌がつきやすくなり、逆に低いと菌糸のまわりが悪くてキノコの発生量が少なくなる。培地の含水率は、重量で六五パーセントくらいが最もよいと述べたが、〇・五メートルくらい上から四ミリ目のふるいで培地をふるって、一リットル容器にいっぱいにして三七〇グラムくらいの重量が目安である。

なお、培地はエリンギ菌糸の伸びがよい弱酸性なので、特にpHを調整する必要はない。

②培地の混合と詰め込み

攪拌機の中にオガ粉、フスマ、コーンブランを所定の配合比（容積比）で入れて、三〇分攪拌する。その後水を入れて水分調整し、約三〇分攪拌して出来上がりである。ビンに詰めるが、自動詰め込み機を使うときは、八

第4—15図　ビン詰め後の殺菌

高圧釜や常圧釜で殺菌する

釜入れ — 扉　閉 — 排気閉 — 吸　水 — 昇　温

— 殺　菌 — 排　気 — 完　了 — 排気開 — 釜出し

殺菌：121℃、1時間　　釜出し：80℃以下

第4—16図　高圧釜の殺菌行程

○○ccビンでは五三○グラム、八五○ccビンでは五六○グラムになるようにバネを調節してから行なう。すなわち、培地の標準詰め込み量は、一○○cc当たり六○グラムくらいである。

③培地の殺菌

殺菌方法には高圧殺菌と常圧殺菌の二通りがある。高圧殺菌は短時間で殺菌できるが、釜の価格が高い。常圧殺菌は釜の価格は安いが殺菌に長時間を要する。

高圧の場合は培地温度が一二一℃、釜内圧力が一・四kg/cm^2になってから一時間くらい（第4—16図）、常圧の場合は培地温度が九八℃になってから五時間くらいの殺菌時間が必要である。

なお、殺菌後はそのまま放置し、釜出しは培地温度が八〇℃以下になってからに行なったほうが、戻り空気が少なく、仕事がしやすい。

(3) 種菌の選定と接種

①種菌選定の目安

種菌の選定や接種作業は、エリンギの栽培を成功させる重要なポイントである。種菌の選定に当たっては、次の点を目安にする。

①分離検査（寒天培地かワックスマン培地）をして雑菌の混入がないもの、また肉眼でみて乳白色でシミや褐色の水たまりがないこと。菌糸の発生が多く、色が白くて濃いもの。

②菌糸が一〇日程度でまわってしまうなど、まわりが速すぎると薄まわりになったり、雑菌が侵入しやすくなるので、菌糸の伸長が中庸（20～30日でまわる）のものがよい。

③発菌試験で菌糸のふき出しが多く、新しく活力のあるもの。

④培養後一～二カ月経過したもので、菌糸が活動しない五℃以下の冷暗所で保管したもの。

⑤発生や発生量が安定しているもの。計画出荷には重要な条件。

⑥拡大回数が少ないもの。多くなると雑菌が多くなり、菌糸も劣化してくる。

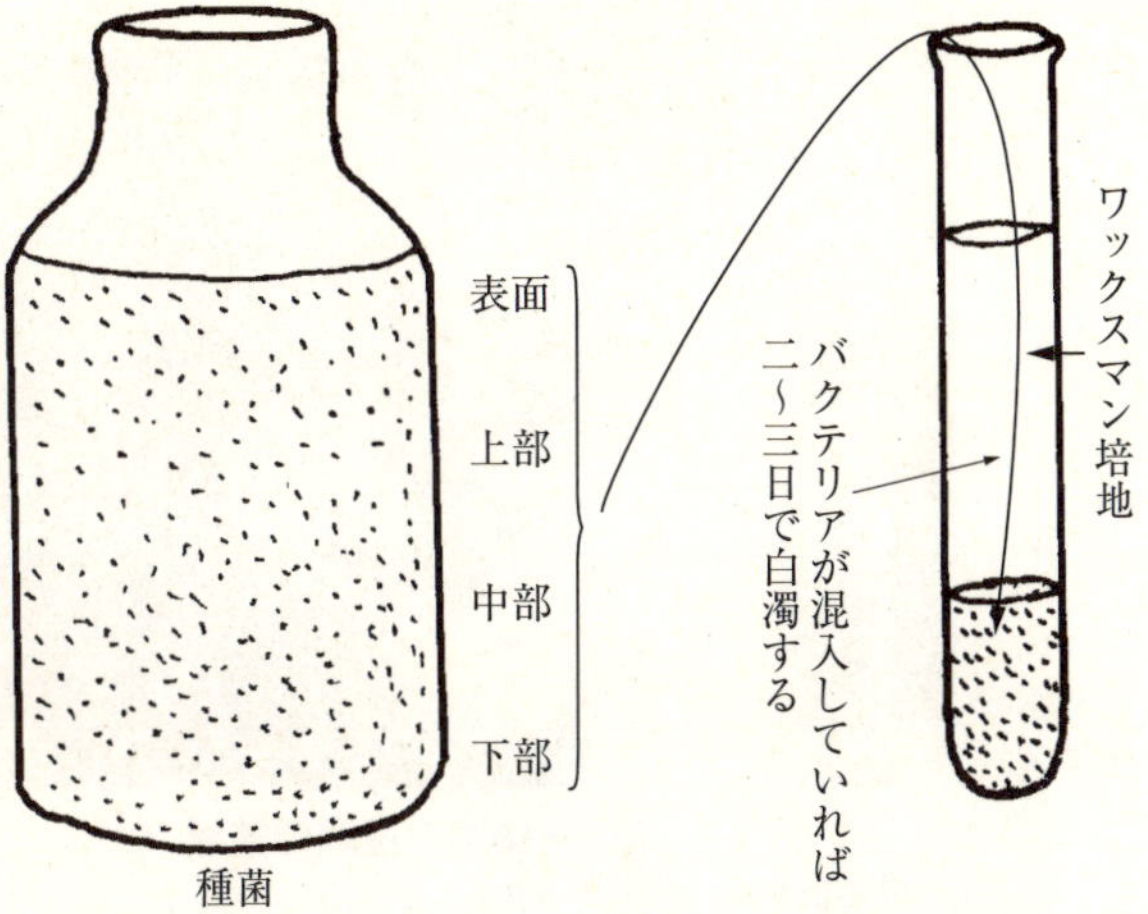

第4−17図　ワックスマン培地による種菌の検査

②拡大の方法と注意

拡大培養とは、種菌代の節約のために生産者で行なわれている方法で、一回購入した種菌を更新しないで半年か一年間通して、栽培のつど培養した培地を種菌として使うことである。うまくいっているときはいいが、菌糸のまんえんがまばらになったり、キノコの発生が少なくなったらすぐやめる。また、同じ拡大培養でも栽培培地を拡大するのではなく、専用の隔離した部屋で種菌用として専用に拡大したほうが安全である。

③種菌内の雑菌の検出

使用する種菌が雑菌に侵されていないかをみるための一つの方法として、特にバクテリアの検出にはワックスマン培地を使用する。キャップを取った種菌の、表面・上部・中部・下部の四カ所から菌糸のかたまりを無作為に取り、ワックスマン培地に接種し、二五℃

第4―18図　種菌の接種

接種機を使うと能率的に行なえる

くらいの温度で培養する。バクテリアが混入していれば二～三日で培養液が白濁する。反対に、エリンギの菌糸であれば白濁しない。

ワックスマン培地はＰＤＡ寒天培地とともに常に用意しておきたい培地である。

なお、ワックスマン培地とは、ブドウ糖一〇グラム、肉エキス五グラム、ペプトン五グラム、食塩五グラム、水一〇〇〇リットル、pH六・八で調整したものである。材料を一リットルで溶かし、沸騰してから試験管に一〇ccくらい分注し、これをオートクレーブにかけて殺菌し冷ましてから使う。

③接　種

接種は、殺菌後一昼夜冷却して培地の温度が二〇℃以下になってから、ベンレートやオスバンなどの薬剤で消毒した室内で行なう。アルコールをつけて火炎消毒したスプーンや接種機により、種菌（オガ菌）をビン一本当たり一五ccずつ接種する。なお、接種するときは、培地にあけた穴の中にも種菌が入るようにして、ビンの下のほうからも菌糸が繁殖するようにする。

接種のときの注意は雑菌を入れないことで、清潔で雑菌のない条件で行なうことが大切である。さらに、①手の消毒や白衣や帽子の着用、②よい種菌の使用、③素早い操作、④多めの接種量（一ビン

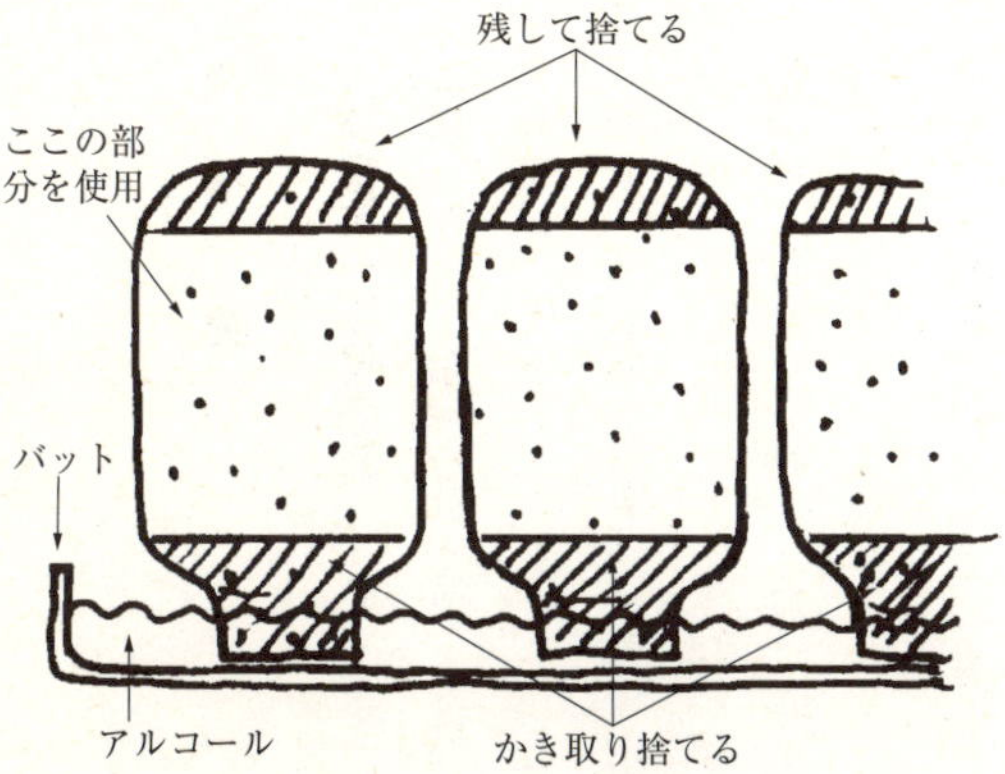

第4－19図　接種時の種菌の扱い

・植菌のみに必要な種菌をアルコールを入れたバットにさかさに入れて並べておくと，雑菌を入れることなく能率的に植菌できる
・ビンの上部と下部の種菌は使用しない

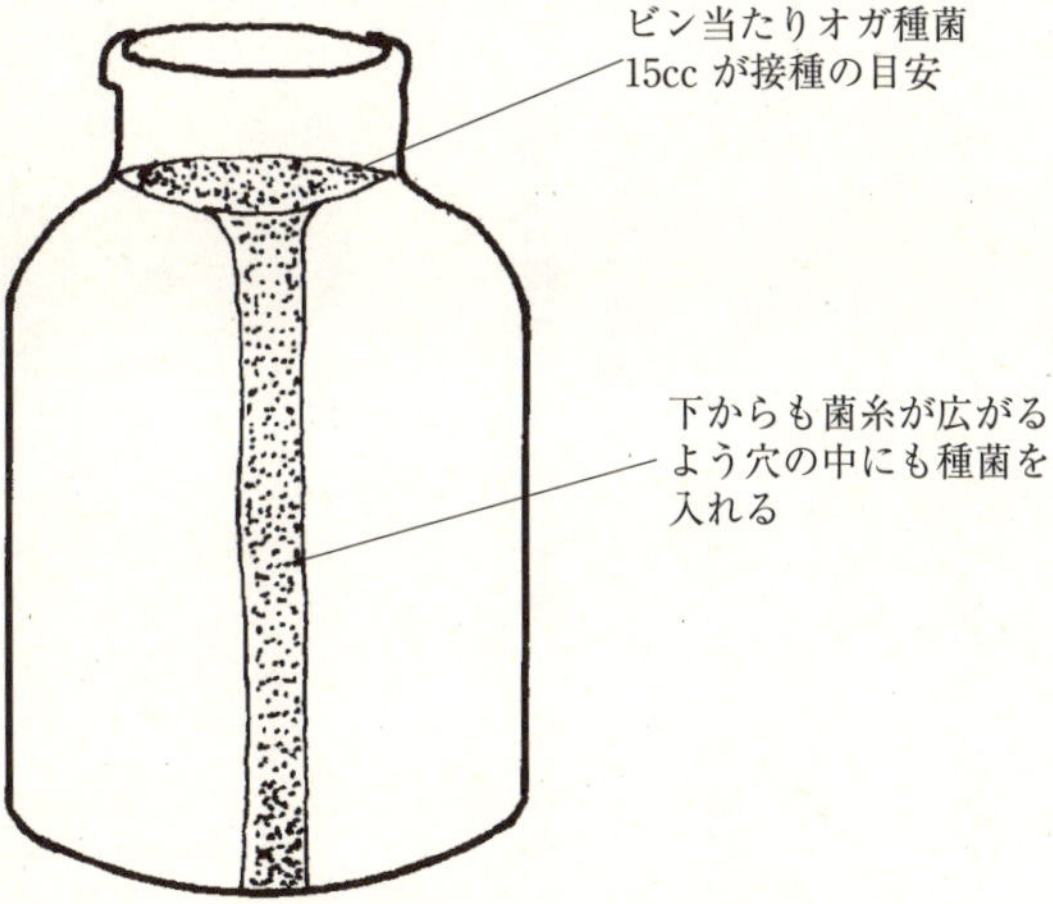

第4－20図　種菌を穴の中にも入れる

一五cc)、⑤種菌はビンの上部を取り除き下部は残して、中央部だけを使う、などの注意が必要である。種菌一本で栽培ビン四〇〜五〇本の接種が目安である。

(4) 培養

①培養室の環境調節

接種したら、菌床を培養室に運び培養する。

培養室は、温度を二三℃くらいにして、八〇〇ccビンの場合は三〇〜四〇日間、一〇〇〇ccのポリプロピレン製の袋の場合は四〇〜五〇日間培養する。湿度は特に調整しなくてもよいが、加湿する場合は六五〜七〇パーセントを保つようにする。また、CO_2濃度は〇・二パーセント以下にする。照明は、培養初期には暗くてもよいが、培養後期一〇日間程度は二〇〇ルクスくらいにすると原基の形成が促進される。

機械の設定と実際の部屋の温度とのずれがある場合が多いので、あらかじめ調整しておく。また、夏は高めになることが多いので低めに、冬は低めになりやすいので高めに設定したほうがよい。

空調の風が強い場所では、棚にポリシートをかけて培養中のビンにあたる風を弱くすることも必要になる。

培養室の収容本数は、培養室の面積のところで述べたように、三・三平方メートル当たり一二〇〇本くらいが日安になる。

②培養の進み方と注意点

殺菌後の培地は殺菌前より黒っぽい色をしているが、菌糸がまんえんしたところから白色〜乳白色に変わっていく。培地全体が白色〜乳白色になれば培養の完了である。雑菌が混入すると、白色〜乳白色への変化が途中で止まったり、エリンギよりまんえんの速い菌が広がりまばらになったり、青、赤、黒などの色がつくこともある。こうなったら、早めに培地を廃棄しなければならない。

第4−21図　培養初期の様子

第4−22図　培養中期の様子
上のほうから乳白色に菌がまわり始めている

第4−23図　乳白色に菌糸が全体にまわり，培養完了した状態

中：上のほうに酵母菌の侵入，右：トリコデルマの侵入

第4－24図　雑菌がまんえんした培地

③培養期間延長の判断

菌糸がまばらにしかまんえんしていないときは、培養期間を延長するが、判断がつきにくいときはビンに水を入れて確認するとわかりやすい。水をビンの口いっぱいになるまで入れて浸みていくときの培地の色をみると、菌糸が広がっていないところはオガ粉色に変わる。こんな場合は、培養期間をもう七～一〇日くらい延長して、培地全体に菌糸をまんえんさせる。

(5) 発生操作——菌かき・芽出し

①栽培室への移動と菌かき

培養がすんだ菌床は、栽培室へ移動する。発生室と生育室とを分けている場合は、発生室への移動になる。

移動したらまず、キノコの発芽をそろえるために菌かきを行なう。菌かきではビンの口の面の菌糸をかき取り、キノコの発生を促す。菌かきの後は、明かりはつけっぱなしにし、換気は二時間に一〇分の割合で行なう。

菌かきの方法には、ビンの口全面をかく平かきと、真ん中を直径二・五センチくらい残しサイドを菌かきする山かきとがあ

第4－25図　菌かき前の状態

培養した菌床は，菌かきして発生させる

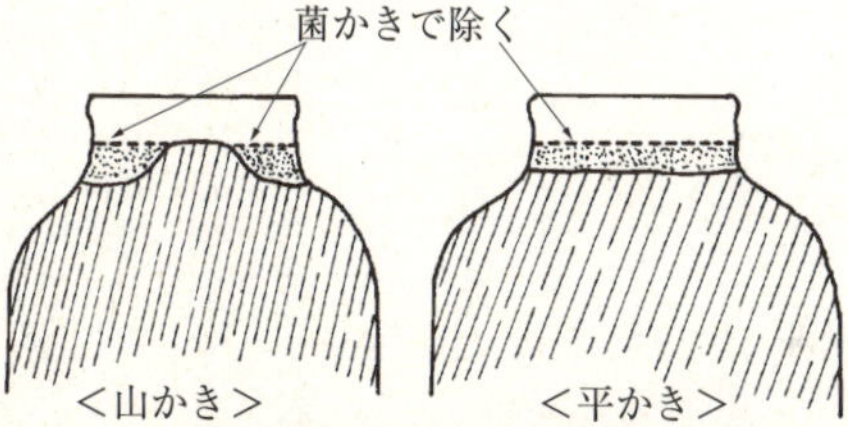

第4－26図　山かきと平かき

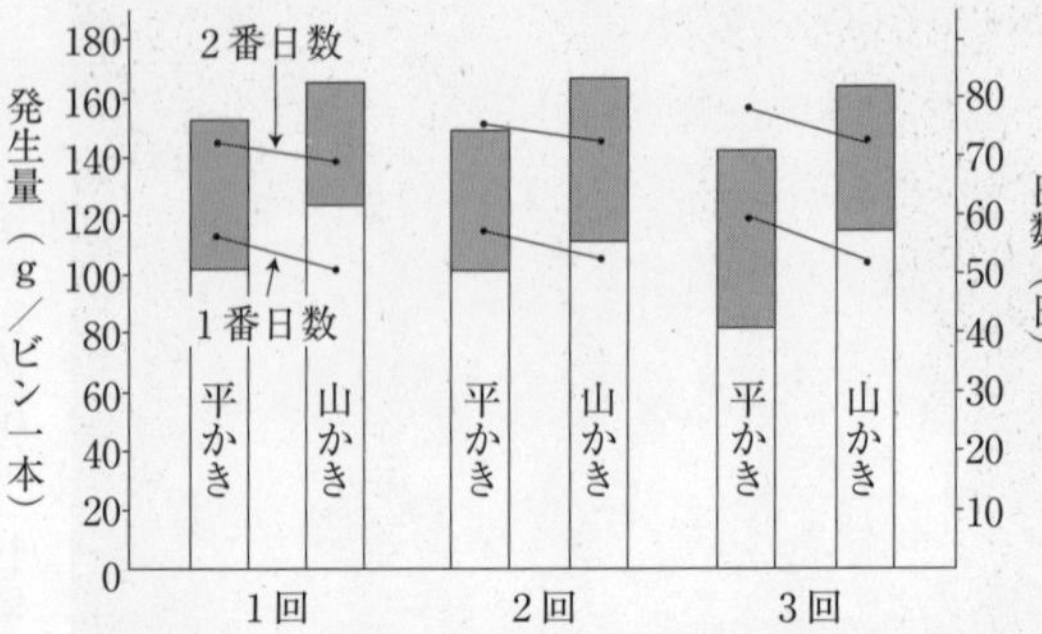

第4―27図　菌かき方法とエリンギの発生量

注）培養日数は30日

る。ブナシメジなどでは平かきより山かきが一般的に行なわれているが、これまで、エリンギの発生管理では、どちらの方法がよいのかはっきりしていなかった。筆者は、菌かき方法を変えて発生までの日数と発生量を調べてみたが、品種によって山かきのほうが平かきより一番発生までの日数が五日くらい短縮でき、発生量も一ビン当たり一〇～一五グラムくらい増加した。ただ、二番発生では有意差は認められなかった（第4―27図）。

しかし、同じエリンギでも菌糸の生長が遅い品種では、山かきで残した部分に雑菌がつくこともあるので、平かきのほうが安全である。

②注水はしない

エリンギでは、菌かき後の注水はしない。注水しないほうが発生期間がばらつかず、短期間に集中するためである。また、立枯れも少ない。ヒラタケやエノキタケ、ナメコなど、ほかのキノコでは注水するのが普通だが、エリンギは水によって菌糸が弱くなるようなので、注水しないほうがよい。これは、原産地が乾燥ぎみのところだということとも関連しているのだと思われるが、いずれにしても多湿で発生させるキノコではない。

③芽出し

菌かき後、ビンの口に新聞紙をかけて保湿し、芽出しを行なう。なお、新聞紙をかけることによって、ビン内のCO_2濃度が高めになるとか、空調の風も防げる効果もあり、芽が切れやすくなる。なお、新聞紙の代わりに有穴ポリを使ってもよい。また、手間は少しかかるが、芽が出るまでビンをひっくり返しておく方法もある。

第4－28図　芽出しの様子
新聞紙をかけて保湿する

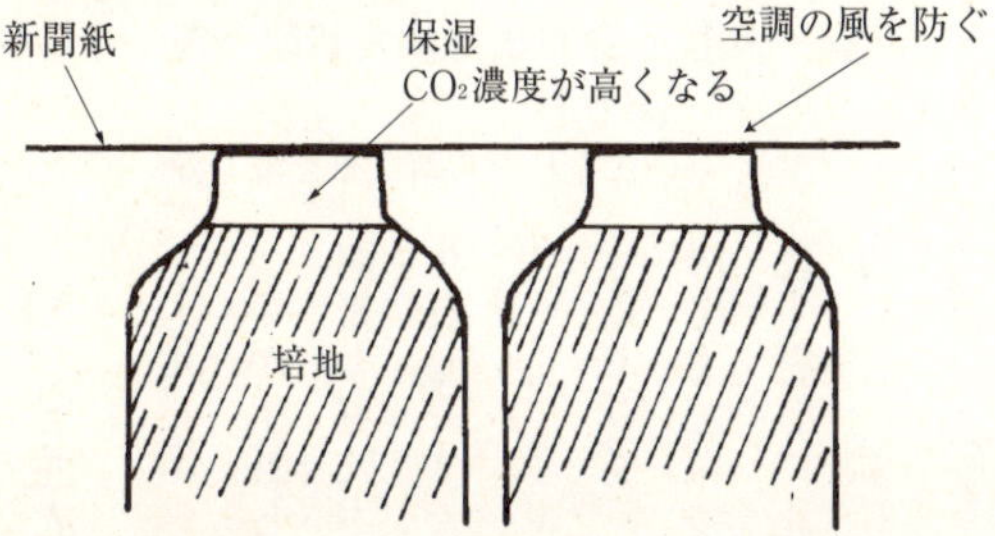

第4－29図　芽出し時に新聞紙をかぶせる効果

発生室の環境を、温度一五～一七℃、湿度八五～九〇パーセント、CO_2濃度〇・二パーセント以下、照度二〇〇ルクスくらいに調整すると、七～一〇日間くらいで芽が出てくる。

第4－30図　芽が出始めた状態（菌かき約10日後）

このくらいになったら新聞紙を取り除いてやる

(6)　発生と収穫

①発　生

芽が生長し新聞紙につくようになったら、新聞紙や有穴ポリを取り除き、光や空気を当てて生長しやすくしてやる。かけたままにしておくと、足の長い奇形キノコになりやすいので、必ず取り除く。また、倒立させておいたビンもそのままではキノコが大きくなれないので、もとにもどして正立してやる。これから七～一〇日間くらいすると、収穫ができるようになる。発生室と生育室を分けている場合は、新聞紙を取り除く時点で生育室へ移動する。

温湿度、CO_2濃度など室内の環境管理は、芽出しと同様の条件を保つ。特に、CO_2濃度や照度はキノコの形質に影響を及ぼし、CO_2濃度が高いと柄が長く傘が小さくなり、低いと柄が短く傘が大きくなりやすい。照度は暗すぎると柄が長くなり、明るいと足が短く傘が大きく黒色になりやすい。したがって、CO_2濃度〇・二パーセント以下、照度二〇〇ルクスくらいを維持することが大切である。

第4－31図　芽出しが終わり新聞紙をはいで生長させる（菌かき後10～12日）

第4－32図　芽数の調整（菌かき後12～13日）

芽数が多い場合に外側の芽を整理する

第4―33図　奇形になったエリンギ

空調の風が直接当たってキノコにささくれが出るような場合は、風が直接当たらないように風向面にポリシートをかけ風よけする。

また、芽が多すぎるときは、途中で芽かきして数を減らすとよい。芽かきは、ビンの淵のほうのキノコを取り除くようにする。

②収　穫

キノコの収穫は、ビンに生えたキノコのうち一番大きなキノコの傘の上面が平らになったとき、傘の大きさが四～五センチで行なう。

収穫は、キノコ全体を押して石付きからはずすようにゆっくり取る。場合によっては、スプーンなどを使ってテコのようにすると取りやすい。収穫時の注意としては、傘が命なので、中央部の大きなキノコの傘を傷つけないことである。しかし、外側の小さいキノコは少々傷がついてもはずせばいいので、あまり気をつかわなくてもよい。

なお、一番の収穫量は一ビン当たり一二〇～一三〇グラム、二番は四〇～五〇グラムである。

第4−34図　収穫期の生育の様子（菌かき後約20日）

第4−35図　収穫したエリンギ

収穫に当たって、キノコを一本取りするか株取りするかは、出荷する市場の要求にそって決める。現在、流通しているのは一本取りが多い。ただ、大手生産者のものと差別化するには、株取りで流通させるのも一つの方法である。零細な生産者は、大手生産者がまねのできないような小回りをきかして販売していくことが大切である。

③収量が上がらないときの反省点

収量が上がらないのは、ほとんどが培地がうまくできていないことによる。原因としては、①未熟、②雑菌の繁殖、③種菌の劣化、の三つに整理できる。培地が未熟な場合は種菌や培養操作、培地の材料と配合割合などに問題があるので、種菌の更新、培養期間の延長、消毒の徹底などが課題になる。雑菌が原因のときは、室内の消毒や接種時の侵入を防ぐなどが大切になる。種菌の劣化が原因のときは、ただちに新しい種菌に替えることである。

こうした面から一回一回の栽培を検討し、問題点を明らかにして次回の栽培に取り組むことが、安定生産・安定経営の基本である。

(7) 調製と出荷・販売

①調製・包装・出荷

収穫したキノコは、一本取りのものは大中小に分け、株取りしたものも一本ずつ裂いて大中小に分

第4−36図　収穫したエリンギの袋詰め

けて、包装の準備をする。また、株取りでそのまま包装するものは、石付きに培地がついていないよう切りそろえる。

そうして、株ごと、あるいは一本ずつサイズごとに分けて包装する。一つの容器または袋に一〇〇〜一五〇グラムずつ詰め、それをラップ包装（袋の場合はシール）し、三〇〜四〇容器（袋）ずつ箱詰めして出荷する。荷姿や規格はまだ決められていないので、出荷先の要望にそって荷造りする。

大小を組み合わせて包装したり、小さいものだけを徳用として袋詰めにし、普通の半値くらいで販売するなど、生産したキノコは全量販売する工夫も大切である。

②出荷での注意

流通段階でのキノコ類の鮮度保持には、保冷温度を一〇℃以下に下げることが大切である。しかし、実際に生産者から消費者にキノコが流通する過程でそれが維持されているかといえば、疑問に感じる。特に夏期、キノコの鮮度保持が難しい時期に、生産者→市場→スーパーなど小売店に流れるところに問題がありそうだ。今後は、このあたりの保冷システムの確立が望まれる。たとえば、生産者でキノコを適期に採取し、予冷して包装し、保冷車で市場を通さず、そのままスーパーの保冷庫に直結するのも一つの方法である。これに対処するためには、個人出荷では無理で、共同出荷してロットを大きくし、継続して出すことが必要である。

③直売などでの販売の工夫

道路端、農協などのグリーンセンター、道の駅などで野菜とともにキノコが販売されているのをよく見かける。こうした直売では、スーパーや小売店のように一〇〇グラムパックで整然と並べるよりも少々ラフでよく、「とりたて」で「新鮮」なことを強調することが大切である。キノコも大きくボリュームのあるものを準備し、ここでしか得られないような荷姿（三〇〇、五〇〇、一〇〇〇グラムの袋詰めなど）にして販売することが大切である。

(8) 二番発生の方法

二番出しは、前述したように一ビン当たり四〇～五〇グラムと収量が少ないので、営利栽培ではほとんど行なわれていない。ただ、一番の発生が少ないときには、培養した菌床を充分利用するために二番も発生させたい。目安としては、一番の発生が一四〇～一五〇グラムある場合は二番はほとんど発生しないので、一番だけにとどめる。しかし、一番の発生が一〇〇グラム以下の場合は、雑菌がついていないかぎり二番も発生させたほうが総収量は取れる。いずれにしても、基本は一番の収量を確実に上げ、二番は取らずにすませることである。

二番出しの方法は、一番出しの取り残した菌糸（菌床表面の白い部分）を菌かきしたのち、ビンの口いっぱいまで注水する。一昼夜くらい静置して培地に吸水させた後、残りの水を捨てて、栽培室（発生室）で芽出しをして発生させる。一番発生では注水しないが、二番発生では注水が必要になる。それは、一番の発生で水分がかなり吸収され、培地が乾きぎみになっているためで、水分の補給は欠かせない。

菌かき後二〇日くらいで収穫できるようになる。

(9) 廃菌床の処理と次作に向けた準備

廃菌床はただちにビンからかき出す。いつまでも栽培舎のまわりに置かないほうが、雑菌の防止のためによい。また、再利用も可能なので、資源の有効利用、コスト削減などの面から、エリンギの培地基材として使用するのもよい。なお、かき出したビンはすべて洗浄するほうがよいが、少なくとも雑菌のついたビンはただちに洗浄する。

第4－2表　堆肥化素材と廃菌床の混合割合（100kgつくる場合の混合割合）　（『有機廃棄物資源化大事典』「おがくず」豊川泰著より）

	牛ふん	豚ぷん	乾燥鶏糞	おから	食品加工残さ	生汚泥	家庭ゴミ
水分含量（%）	90	85	15	80	90	75	85
廃菌床（左）との混合割合	63対37	57対43	36対20対1.44	50対50	63対37	40対60	57対43

注）乾燥鶏糞の1.44は水の混合割合

一般には、廃菌床に牛糞や鶏糞を混ぜて堆肥をつくり、有機質肥料として一〇アール当たり約二トンを施用する。混合する素材別混合割合は第4―2表のとおりである。廃菌床のニンジンなどセリ科植物への影響については、栽培直後のものであっても上記の施用量であれば、収量や腐りなどの問題は出ていない（五一ページ参照）。

また、次作のためのオガ粉を早めに注文し、野積み、散水の期間を長くしたほうがよい。これは、前述したように、針葉樹のオガ粉に含まれている樹脂分や発育阻害物質の除去と、吸水性を高めるためである。

4、野外栽培の方法

野外栽培は野生に近い大きなキノコをつくるのに適しているが、一時期に集中して発生するので、栽培面積は限定される。培地は袋で培養し、林内や畑に高畦にして埋め込むが、栽培する場所は水はけがよいことと、散水できる水が近くにあることが条件になる。

七月、九月に培養して埋め、九月下旬～十月下旬、四月下旬～五月下旬に発生させる。埋めた上には土が乾かないようにワラや落ち葉をかけるとか、畑の場合はビニールやダイオシェードなどで日覆いをしてやる。林内で日がチラチラはいる程度であれば、日覆いの必要はない。

キノコは大きくなるので、一袋五〇〇～一〇〇〇グラム単位にし、市場出荷より直接販売したほうがよい。

5、病害菌、立枯れの防除

(1) 病害菌の防除方法

害菌はエリンギの栽培に限らず、あらゆるキノコ類の栽培に共通した問題である。栽培を安定的に発展させるためには、害菌の発生を未然に防ぐことが大切である。

その対策には、生態的防除などの間接的防除方法と薬剤散布などの直接的防除方法とがある。

①間接的防除方法

害菌の感染を予防するには、侵入経路を断つことが重要である。それには、殺菌釜の操作を正しく理解し、適正な殺菌を行なってから無菌状態で種菌を接種する。また、できるだけ清潔にした作業室

第4－37図　雑菌のまんえんなどが原因で発生しなかった培地

で作業を行ない、無菌の培養室で培養を行なうことが大切である。

種菌については、培養して菌糸がビン内に伸長しきったものであればまず安全である。

以下に害菌の侵入上注意すべき三つのケースをあげる。

①**殺菌後冷却時**――害菌がビン内に侵入する可能性が最も高い経路は、殺菌時に膨張して吐き出された培地内の空気が、冷却による培地温度の降下にともなって吸収されるときである。これは、「戻り空気」と呼ばれるもので、完全にろ過された清浄な空気であれば問題はないが、害菌が浮遊している空気を吸収すると問題である。したがって、冷却はなるべく消毒した部屋で行なうようにする。

②**接種時**――接種では、室内を清潔にし、完全に消毒した白衣を着て、作業を素早く静かに行なう

第4−3表　主な害菌の種類と防除方法

害　菌	症　状	感染の条件と原因	防除方法	薬　剤
細菌類	菌糸が薄回りになり，キノコは立枯れ，腐臭を放つ	殺菌不良，汚染種菌の使用，戻り空気，接種時，芽出し・生育時に混入	ワックスマン培地で検査，施設の掃除と消毒	オスバン（100〜200倍），ダイアサン（300倍），エタノール（70%）
トリコデルマ	濃緑色のカビ，立枯れ	汚染種菌の使用，接種・放冷・培養初期に感染，ダニが伝播	発生とビンの除去と施設の掃除，消毒	ベンレート（1000倍），ビオガード（100〜200倍），パンマッシュ（500〜1000倍）
ケカビクモノスカビ	菌伸長が異常に速い，発生量低下	汚染種菌の使用，放冷・接種時に感染	種菌のチェック，早期発見，作業場の放冷，種菌室の消毒，汚染ビンの除去	
アオカビ	青いカビが発生	放冷，接種時に感染，培養初期にビン口から侵入	培養室の乾燥と強風は禁物	ベンレート（1000倍），ビオガード（100〜200倍）
クロカビ，フザリウム	培地がスポット的に黒または赤くなって発生	殺菌不良，放冷・接種中に感染	接種室のクリーン化，慎重な接種作業	ホルマリンくん蒸
アカパンカビ	全体に橙色になる	放冷・接種中，培養初期に感染	接種室のクリーン化，慎重な接種作業	ベンレート（1000倍），ビオガード（100〜200倍）
酵母	赤い色になる	同上	接種室のクリーン化，慎重な接種作業	エタノール(70%)
シュードモナス	培地は腐臭がする,キノコが立枯れ	芽出し室の汚染，過加湿で感染	芽出し室のクリーン化と過加湿を避ける	オスバン(100倍)，ホルマリンくん蒸
クラドボトリウム	キノコの石付や柄に綿毛状の菌糸が付く	栽培室の換気不足	換気の改善	ホルマリンくん蒸

ことが大切である。アルコールランプやガスバーナーなどを点火して上昇気流をつくり、無菌状態になったその近くで作業を行なう。また、機械接種のときも同様に室内を清潔にし、機械もアルコールでふくなど消毒をする。とくにかき刃は火えん消毒してから接種する。

③培地の移動時——殺菌した培地ビンの接種室への搬入や接種した培地ビンの搬出は慎重に行ない、搬入前や搬出後の少なくとも二回は後述の防除薬剤を使って接種室を消毒する。

②直接的防除方法

培地やキノコに害菌が発生した場合、これらに直接殺菌剤を散布して防除すべきではない。キノコ類は生鮮食品なので、生育中には絶対に薬剤を使用してはならない。しかし、栽培歴が長くなると、害菌の密度が高まるほか、新しい害菌なども発生しやすくなるので、定期的に栽培室を薬剤で消毒し、害菌の密度を減らすことが大切である。

なお、周年栽培でも、年間三〇〇日の稼働日数とし、残り六〇日くらいは作業を休止して、その間に施設の補修や機械・器具類の手入れと同時に消毒することが望ましい。都合で作業が休止できない場合にも、一カ月に一回程度消毒することが大切である。なおこの場合は、キノコに薬剤がかからないようにビニールシートや新聞紙をかけることを忘れてはならない。

③防除薬剤

栽培室などで使用する防除薬剤としては、ホルマリン（一〇倍液、バクテリアやカビ類の防除）、オスバン（一〇〇倍液、バクテリアの防除）、ダイアザン（三〇〇倍液、通路や接種室、作業衣の消毒）、ベンレート（一〇〇〇倍液、トリコデルマ類の防除）などを使い分ける。これらの薬剤散布は室内外ともに全面に行ない、散布量はすべて一平方メートル当たり〇・三リットルくらいにする。

雑菌が非常に多いときは、ホルマリンくん蒸消毒（一〇〇平方メートル当たりホルマリン七〇ccに生石灰七〇グラム、濃硫酸七ccを混合）するとよい。この場合は、あらかじめダイアザンかオスバンで床、天井、壁を濡らしておくと効果的である。処理温度は二四℃くらいがよく、一二時間くらい密封して消毒する。消毒後はアンモニア五〇〜一〇〇倍液を散布して中和すれば無臭になる。

防除対象や防除時期によっていくつかの方法を使い分け、その効果を最大限に発揮させるようにしたい。

④廃菌床の処理

エリンギを発生させた後の廃菌床は、害菌や害虫の発生源にしないため、できるだけ早く処分したほうがよい。

(2)　立枯れとその防除方法

①立枯れとは

エリンギを栽培していると、六カ月くらいで芽が出ても枯れる、いわゆる「立枯れ」現象がみられ、生産振興上大きな問題となっている。主な症状としては、芽出しから収穫までの発生異常として次の三つがあげられる。

○菌かき後に注水した場合、芽出し段階で培地上につくアメ状物質が黒褐色になり、芽が出ない。

○アメ状物質は無色透明だが、芽が出てこない。

○芽が出てキノコが大きくなる段階で枯れる。

②防除方法

立枯れの原因としては、種菌の汚染や劣化、発生室などの害菌汚染、培養未熟などが考えられているが、はっきりとした原因はわかっていない。そのため、抜本的な対策は立てられないものの、発生室の消毒、拡大回数を少なくすること、培養日数を通常三〇～四〇日のところ五〇日にすることなどで、ある程度の被害は防げる（三四ページ以下参照）。

第五章
エリンギの利用と料理

1、世界での呼び名と利用法

エリンギは、イタリアではCarderellaと呼ばれ、有名な食用菌で、タコのような歯ごたえのキノコと評されている。また、ロシアではBoletus of stepps（ステップのいぐち）と呼ばれている。米国ではKing oysterである。台湾では杏鮑茹（アワビ）と呼ばれ、ヒラタケやシイタケより高価に取引されており、傘より足のほうが値段は高い。

いずれも生のエリンギが調理して食べられており、日本では水煮や醤油煮にしたものやエリンギ入りカレーも売られている。

2、エリンギを利用した料理

エリンギは大型でくせがなく、歯ごたえもよく型くずれしないため、和・洋・中など、どの料理にも向く。また、このキノコは日持ちのよいのが特徴で、野外でのバーベキューなどにも最適なキノコである。

(1) 和風料理

＜揚げ豆腐あんかけ＞

材料（4人分）

エリンギ：200g／豆腐：2丁／ホウレンソウ：2束／赤トウガラシ：1本／だし：400cc／酒：大さじ2／砂糖：大さじ1／醤油：大さじ4／片栗粉、揚げ油：各適量

作り方

・豆腐は水を切り、片栗粉をまぶして油で揚げる。
・エリンギは適当な大きさに切り、ゆでて水を切る。
・ホウレンソウはゆでて水を切る。
・だしを火にかけ、砂糖・醤油で味をととのえ、輪切りにした赤トウガラシを加え、水溶き片栗粉でとろみをつけ、あんをつくる。
・皿に食べやすい大きさに切ったホウレンソウを敷き、豆腐、エリンギをのせ、あんをかける。

＜かき揚げ＞

材料（4人分）

エリンギ：100g／小女子：20g／ピーマン：3個／ニンジン：30g／サラダ油：200cc／小麦粉：大さじ5／卵：1個／塩：少々

作り方

・エリンギは適当な大きさに裂いておく。

・ピーマンは種を取り出し、薄い輪切りにする。ニンジンは長さを3cm程度の千切りにする。

・卵・水・小麦粉を加え衣をつくる。

・油を熱し（180℃くらい）、木杓子で具を薄く広げるようにして揚げる。

第5－1図　天ぷら

＜天ぷら＞

材料（4人分）

エリンギ：200g／カボチャ：1／4個／ナス：2

個／シシトウ：8個／青ジソ：4枚／小麦粉：1カップ／卵：1個／水：150cc

作り方

・材料を適当な大きさに切る。
・衣をつくり、材料を油で揚げる。

＜三杯酢あえ＞

材料（4人分）

エリンギ：100g／キュウリ：中1本／カニかまぼこ：3本／酢：大さじ2／醤油：大さじ1／砂糖：小さじ1

作り方

・エリンギは適当な大きさに裂き、ゆでて水分を切る。
・キュウリを千切りにし、塩をふりかけて味つけする。
・カニかまぼこをほぐす。
・酢・砂糖・醤油を合わせ、エリンギ、キュウリ、カニかまぼこをあえる。

〈炒め煮〉

材料（4人分）

エリンギ：200g／ニンジン：100g／ピーマン：2個／醤油、砂糖、油：各適量

作り方

・エリンギは適当な大きさに切る。

・ニンジンは千切りにする。

・ピーマンは細切りにする。

・エリンギ、ニンジン、ピーマンを順番に油で炒めて、醤油・砂糖で味つけする。

〈混ぜご飯〉

材料（4人分）

エリンギ：100g／米：400g／ニンジン：50g／卵：1個／青ジソ：適当／醤油：大さじ5／みりん：小さじ3

作り方

・米は30分前に洗って、ざるにあげておく。

・エリンギ、ニンジンは適当な大きさに切り、ゆでておく。
・エリンギ、ニンジンに醤油、みりんを加えて煮て、炊き上がったご飯に混ぜる。
・お皿に盛り、そぼろにした卵、千切りの青ジソをかける。

＜ごま味噌あえ＞

材料（4人分）
エリンギ：200g／ゴマ：5g／味噌：25g／砂糖：大さじ1.3

作り方
・エリンギは適当な大きさに裂き、ゆでて水分を切る。
・ゴマを煎り、軽く擦って味噌、砂糖を加え混ぜる。
・味つけしたゴマにエリンギを加え、味をなじませる。

＜網焼き＞

材料（4人分）
エリンギ：400g／醤油：適量／レモン：1個、またはショウガ：1片

作り方

・エリンギは大きいものを厚切りにする。
・網焼きをし、焼けたらレモン醤油、またはショウガ醤油をつけて食べる。

(2) 中華風料理

＜クリーム煮＞

材料（4人分）

エリンギ：300g／グリーンピース：適量／ショウガ：適量／ネギ：少々／塩・こしょう：少々／生クリーム：100cc／酒：大さじ2／鶏ガラスープ：250cc／砂糖：少々／片栗粉：少々／サラダ油、ゴマ油：各適量

作り方

・エリンギは薄切りにしておく。
・鍋に油をひき、ショウガ、ネギのみじん切りを焦がさないように炒める。香りが出てきたら鶏ガラスープ、酒、砂糖、こしょうを加える。
・さらにエリンギを加え、弱火にして味をしみ込ませる。スープがやや煮つまったら生クリームを加え、ひと煮たち後、塩で味をととのえる。

・水溶き片栗粉でとろみをつけ、仕上げに少量のゴマ油を香りづけに回し入れる。
・ゆでたグリーンピースを飾りにのせる。

＜牛肉のオイスターソース炒め（二〇ページ）＞

材料（4人分）
エリンギ：150～200g／牛肉：200～300g／サヤエンドウ：10～20個／ネギ：1／2～1本／ニンニク：1片／ショウガ・塩・こしょう：少々／醤油・酒：大さじ1／オイスターソース：大さじ1～2／スープ：大さじ2～3／砂糖：大さじ0.5～1／片栗粉：少々／サラダ油・ゴマ油：適量

作り方
・エリンギ・牛肉は食べやすい大きさに切っておく。また、牛肉はできれば酒、醤油、塩、こしょう、片栗粉、サラダ油で下味をつけておく。
・エリンギ、牛肉、サヤエンドウは、それぞれ油通しをしておく。
・鍋にサラダ油をひき、ショウガ、ニンニクのみじん切りを焦がさないように炒める。香りが出てきたら、さらにぶつ切りにしたネギを加え、炒める。
・油通しした材料を加え、さらに炒める。材料に火が通ったら酒、砂糖、スープ、こしょう、醤油、オイスターソースを加え、塩で味をととのえる。
・水溶き片栗粉でとろみをつけ、最後にゴマ油を香りづけに回し入れる。

＜モンゴウイカの四川風炒め＞

材料（4人分）
エリンギ：200g／モンゴウイカ：200g／ピーマン：2個／赤ピーマン：1個／ショウガ：少々／ニンニク：1片／塩・こしょう：少々／醤油：大さじ1／酒：大さじ2／豆板醤：小さじ2／鶏ガラスープ：大さじ3／砂糖：小さじ1／片栗粉：大さじ1／サラダ油・ゴマ油：各適量

作り方
・エリンギ、モンゴウイカ、ピーマン、赤ピーマンは食べやすい大きさに切る。
・エリンギ、モンゴウイカを湯通しする。
・鍋にサラダ油をひき、ショウガ、ニンニクのみじん切りを焦がさないように炒める。豆板醤を加え、さらに炒める。
・これにエリンギ、モンゴウイカ、ピーマンを加え、野菜に火が通ったら、酒、砂糖、鶏ガラスープ、こしょう、醤油を加え、塩で味をととのえる。
・水溶き片栗粉でとろみをつけ、ゴマ油を香りづけに回し入れる。

＜辛子炒め＞

材料（4人分）

エリンギ：400g／ピーマン：4個／タマネギ：1個／豚肉：300g／ニンジン：小1本／洋がらし：適量／サラダ油：適量／ゴマ油：適量／醤油：適量／酒：適量／砂糖：適量

作り方

・エリンギは薄切りに、ピーマン、タマネギ、ニンジンは千切りにする。

・サラダ油とゴマ油で豚肉、エリンギ、ピーマン、タマネギ、ニンジンを炒める。

・醤油に洋がらし、酒、砂糖を入れて、たれをつくる。

・たれを加えて少し炒める。

(3)　洋風料理

＜スパゲティ＞

材料（4人分）

エリンギ：200g／スパゲティ：250g／タマネギ：0.5個／ピーマン：2個／醤油、塩、こし

ょう、スパゲティソース（市販）、サラダ油：各適量

作り方

・スパゲティは、たっぷりのお湯に塩を加えてゆでる。

・エリンギは適当な大きさに切り、ゆでて水分をとる。

・タマネギ、ピーマンは薄切りにして油で炒め、エリンギを加え、塩、こしょうで味をととのえる。

・スパゲティの上に具をのせ、まわりにスパゲティソースをかける。

第5−2図　スパゲティのキノコソース

＜エリンギのカルパッチョ風サラダ＞

材料（4人分）

エリンギ：150〜200g／黄ピーマン：1〜2個／プチトマト：5〜10個／ニンニク：1片／

塩、こしょう：各少々／バルサミコ酢、オリーブオイル、イタリアンドレッシング：各適量

作り方

・エリンギは薄切り、黄ピーマンは適当な大きさに切り、ゆでる。ゆだってあら熱がとれたら、皿に並べて冷蔵庫で冷やす。
・プチトマトは半分に切る。
・ニンニクのみじん切りに、イタリアンドレッシング、オリーブオイル、バルサミコ酢を混ぜ、塩、こしょうで味をととのえ、ドレッシングをつくる。
・冷えたらプチトマトを飾り、ドレッシングを回しかける。

【付　録】

付録1、エリンギの耐熱性と廃菌床の再利用についての試験

愛知県林業センターでは、エリンギのセリ科植物への影響を究明する一環として、エリンギの耐熱性と廃菌床の再利用について調査したので、参考のためその概要について紹介する。この試験は、エリンギ菌の耐熱性と、廃菌床の再利用による資源の有効利用と廃菌床量の削減を目的に調査したものである。

(1)　エリンギの耐熱性と廃菌床再利用の試験方法

①エリンギの耐熱性

エリンギのオガ粉培地（コナラオガ粉とフスマの配合比一〇：二、培養期間二カ月、一〇〇〇ccビン）、PDA寒天培地（長さ一八センチ、口径一八ミリの試験管で一カ月培養）、子実体（傘の直径四～五センチ、柄の長さ七～一〇センチ）をそれぞれ、温度四五℃、五〇℃で五時間、一五時間、二四時間保管した後、PDA寒天培地上に菌糸や組織を分離し、三週間後に発菌の有無を調査した。

②エリンギ廃菌床の再利用

①エリンギの乾燥廃菌床をエリンギ培地に再利用——未使用のスギオガ粉にエリンギの乾燥廃菌床を〇、二、四、六、八、一〇割の割合で加えて培地を調整し、殺菌後、エリンギ菌糸を接種して、二二℃で三四日間培養後、菌かきし、一昼夜注水後、一五〜一七℃の温度、九〇パーセントの湿度で発生させ、最大径四センチくらいで採取し、発生量を調査した。

②エリンギの乾燥廃菌床をヒラタケ培地に再利用——①と同様に培地を調整し、殺菌後、ヒラタケ菌糸を接種して、二二℃で二五日間培養後、菌かきし、一昼夜注水後、一二〜一四℃の温度、九〇パーセントの湿度で発生させ、最大径二・五センチくらいで採取し、発生量を調査した。

③エリンギの生廃菌床をエリンギ培地に再利用——①の乾燥廃菌床を生の廃菌床に替えて、同様に管理し、発生量を調査した。

④エリンギの生菌床地をヒラタケ培地に再利用——②の乾燥廃菌床を生の廃菌床に替えて、同様に管理し、発生量を調査した。

(2)　耐熱性は普通で廃菌床も再利用できることが判明

①エリンギの耐熱性

エリンギのオガ粉培地では、四五℃、五時間で一本発菌したほかは、いずれの時間でも発菌しなかった。また、PDA寒天培地では四五℃、五〇℃、いずれの時間でも発菌しなかった。さらに、子実体では四五℃で五時間と一五時間、五〇℃で五時間において発菌したが、これ以上では発菌しなかった。

②エリンギ廃菌床の再利用の結果

①エリンギの乾燥廃菌床をエリンギ培地に再利用――菌かき時での完全まんえん本数は、廃菌床の割合が多くなるほど少なかった。また、所要日数は一番収穫で五三〜五六日、二番収穫で七二〜七八日、発生量は一番で一二〇〜一三〇グラム、一+二番で一四〇〜一六〇グラムで、未使用オガ粉培地とくらべてともに有意差は認められなかった（付―1表）。

②エリンギの乾燥廃菌床をヒラタケ培地に再利用――菌かき時での完全まんえん本数は九〜一〇本で、ほぼまんえんしていた。また、所要日数は一番で三九〜四〇日、二番で五二〜五五日、発生量は一番で八五〜九五グラム、一+二番で一三五〜一四〇グラムで、同様に有意差は認められなかった。

付―1表　廃菌床利用での菌かき時の完全まんえん本数

試験区＼廃菌床割合	0	2	4	6	8	10割	備考
乾燥廃菌床利用エリンギ栽培	9	10	6	2	3	0	培養34日時点での10本中の本数
乾燥廃菌床利用ヒラタケ栽培	10	10	9	9	9	9	培養25日時点での10本中の本数
生　廃菌床利用エリンギ栽培	10	10	10	6	9	4	培養34日時点での10本中の本数
生　廃菌床利用ヒラタケ栽培	10	10	10	10	10	10	培養25日時点での10本中の本数

③エリンギの生廃菌床をエリンギ培地に再利用――菌かき時での完全まんえん本数は、廃菌床の割合が多くなるほど少なかった。また、所要日数は一番で五三～五八日、二番で七二～七七日で、未使用オガ粉培地とくらべて有意差は認められなかったが、一番、一＋二番の発生量は有意差が認められ（五パーセント水準）、廃菌床を入れたほうが入れないものより発生量は多い傾向があった。ちなみに、廃菌床のみの場合、一番で一五〇グラム、一＋二番で一七〇グラムであったのに対し、廃菌床を入れない場合では一番で一〇〇グラム、一＋二番で一三五グラムくらいであった。

④エリンギの生廃菌床をヒラタケ培地に再利用――菌かき時でのヒラタケ菌糸の完全まんえん本数を調べたところ、すべてまんえんしていた。また、所要日数は一番で三九～四一日、二番で五二～五六日で、未使用オガ粉培地とくらべて有意差は認められなかったが、一番、一＋二番の発生量は有意差が認められ（一パーセント水準）、エリンギの生廃菌床の場合と同様、廃菌床を入れた培地のほうが入れないものより発生量は多い傾向があった。ちなみに、廃菌床のみの場合、一番で九四グラム、一＋二番で一五五グラムであったのに対し、廃菌床を入れない場合では、一番で八二グラム、一＋二番で一三二グラムであった。

③エリンギの廃菌床再利用の可能性

以上の結果から、次のことが明らかになった。

エリンギ菌の死滅温度は、シイタケ、ヤナギマツタケなどほかの食用菌と変わりがなく、堆肥化に

付—1図　廃菌床（培地）の利用

未使用の菌床（廃菌床0割）より廃菌床利用のほうが発生がいい。
2～10割は廃菌床の混合割合

よって菌を死滅させることができる。したがって、エリンギの廃菌床の再利用は可能であり、総排出量を減少させることができる。

シイタケのほだ木では、シイタケ菌糸が四〇℃で二〇時間、四五〜五〇℃ではそれ以内で死滅するといわれている。エリンギの菌糸も、以上の結果から、五〇℃で一五時間処理すれば死滅するものと考えられる。廃菌床を農家に対して譲渡する場合は、高温処理（たとえば堆肥化によって温度を六〇〜七〇℃に上げるなど）して、エリンギの菌糸を死滅させてから利用することが大切である。

なお、以上をまとめると次のようにいえるだろう。

①エリンギの廃菌床は乾燥、生ともエリンギ栽培やヒラタケ栽培に再利用できることが明らかである。これは、エリンギの発生期間が七十数日（二番出しを行なっても）と短く、オガ粉より添加物を栄養にしたためと考えられる。

②特に生の廃菌床利用で未使用のオガ粉培地より発生量が多かったことは、特筆すべきである。

③ヒラタケの廃菌床がニンジンなどセリ科植物に対して害を及ぼした例はないので、エリンギの廃菌床をヒラタケ培地として再利用するのも一方法だと考えられる。

④今後は廃菌床が何回まで使用できるか、検討が必要である。

付録2、経営タイプ別収支モデル表

ここに掲げる経営モデルは、次の三タイプである（本文五二ページ参照）。

①「家内労働季節兼業型」（夫婦二人の季節兼業型）——複合経営で、できるかぎり施設の経費を抑え、キノコ栽培に不適な高温期（夏）に休業するモデル。栽培期間中、二人程度の労働が必要（夫婦二人で行なう経営）。年間に栽培するビン数は一〇万本。

②「家内労働季節専業型」（夫婦二人十一人で夏は休む季節専業型）——専業ではあるが、キノコ栽培に不適な高温期（夏）に休業するモデル。栽培期間中、三人程度の労働が必要（夫婦二人と雇用一人で行なう経営）。年間に栽培するビン数は二〇万本。

③「大規模周年専業型」（常時六人程度での周年専業型）——空調施設を充実させて周年栽培を専業として行なうモデル。年間を通じて、六人程度の労働が必要。年間に栽培するビン数は四〇万本。

以下、上の三タイプを基本モデルとして試算しているが、労務、資本、気候などにより、さまざまな応用パターンが考えられる。なお、今回試算に使用したエリンギの単価は、一九九五年（平成十一年）十二月頃のものである。

(1) 家内労働季節兼業型

(1) 経営規模

1回当たり接種本数	1,500本/日（週2回）	年間回転数	4回転
所有ビン数	30,000本	年間栽ビン数	100,000本
出荷期間	8ヵ月/年（1サイクル60日）		

(2) 経営サイクル

(月)	7	8	9	10	11	12	1	2	3	4	5	6
	休止期間		労働期間									

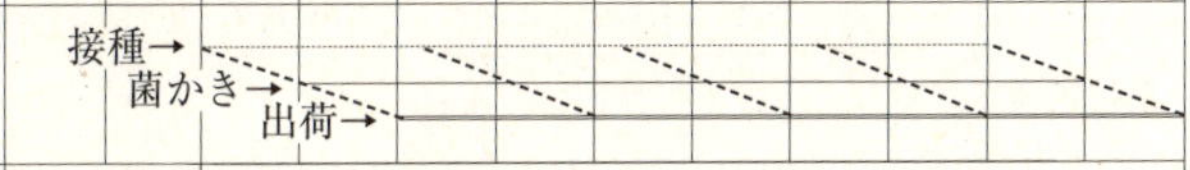

(3) 労働力

労働力	人数	作業内容	延べ年間作業日数
基幹労働力	2人	栽培作業全般	317日
雇用			

(4) 栽培施設（建物）の内容

建物構造	鉄骨造り平屋建て			
区分	室数	延べ面積	備考	見積金額(円)
接種室	1	4坪		
培養室	3	17坪	断熱材使用　*1	
栽培室	5	26坪	断熱材使用　*2	
作業室		33坪	通路，詰め込み，殺菌，出荷作業等	
計		80坪	電気工事等含む	15,600,000

(5) 栽培施設（装備）の内容

装備施設名	数　量	備考（規格・規模等）	見積金額
撹　拌　機	1台	1,500本/1回（KM－75　1,500～1700本用）	430,000円
チェーンコンベア	1台	撹拌機から詰め機への移送（KCC－20，有効機長2m　有効幅0.13m）	85,000
ビン詰め機	1台	詰め機＋穴あけ機　1,000本/hキャップ手動（KP－38　16本コンテナ）	660,000
殺　菌　釜	1台	常圧　1,500本/1回	820,000
自動接種機	1台	500本/h　手動（GSⅡ型）	220,000
菌かき機	1台	800本/h　コンテナ16本用（CB－16）	250,000
かき出し機	1台	500本/h　コンテナ16本用（CT－16）	250,000
手動包装機	1台	テーブル式	24,000
加　湿　機	10台	培養室1台×3室＝3台　栽培室2台×5室＝10台　計13台（160,000円/台）	2,080,000
空　調　機	1式	暖房用（8カ月稼働の場合夏季の冷房は不要）	1,500,000
ふるい機	－	購入オガ粉の場合は良質のため不要	－
栽　培　棚	35台	16本×8ケース×4段（900cm×1,800cm×4段）　＊3（45,000円/台）	1,575,000
台　　車	2台	（30,000円/台）	60,000
換　気　扇	8台	（35,000円/台）	280,000
軽トラック	1台		800,000
栽培ビン	30,000本	（31円/本）	930,000
コンテナ	1,900個	（145円/個）	275,500
計			10,239,500

＊1　培養室（40日間使用）
40÷3.5日（週2回）≒12回
12回×1,500本＝18,000本
18,000本÷1,195本（坪当たり）≒16坪
延べ16坪程度必要
16本×16ケース×7段÷1.5坪（1,195本/坪）

＊2　栽培室（30日間使用）
18,000本÷683本（坪当たり）≒26坪
延べ26坪程度必要
16本×8ケース×4段×2台÷1.5坪（683本/坪）

＊3　栽培棚
18,000本÷512本≒35台
16本×8ケース×4段（512本/台）

詳細については，74～79ページ参照

(6) 収益性

（10万本当たり）

項目			金額（円）	備考
粗収益	販売収入（1ビン当たり平均110g）		9,900,000	100,000本×110g/1ビン＝11,000kg 11,000kg×900円/kg＝9,900千円
	計		9,900,000	
生産費	菌床製造資材		647,200	
	償却費	建物	1,645,000	
		装備		
	水道光熱費		850,000	8.5円/本
	出荷資材（1パック当たり100 g）		924,200	ラベル：1円×110,000個　パック：4.3円×110,000個 ラップ：1,375円/500mもの88本（1パック0.4mで4,400m） 段ボール：60円×110,000個÷30パック≒3,670個
	維持管理費等		329,000	償却費の20%
	手数量等		990,000	販売収入の10%
	計		5,385,400	
所得［粗収益－生産費］			4,514,600	
自家労働投入量（日）			317	
一日当たり自家労働報酬			14,242	
所得率［所得/粗収益］			46%	

(7) 単位当たり生産性

粗収益	生産費	所得
900円/kg	490円/kg	410円/kg

(8) 労働日数

（10万本当たり）

作業名					計	
					時間	日
諸準備					110	
ビン詰め・殺菌					130	
接種					130	
菌かき					120	
栽培管理					450	
収穫・調製・出荷					1,470	
かき出し・片付け					120	
合計					2,530	317
（1日8時間労働とする）2,530日÷8≒317日						

(9) 資材費

品目名		単価	単位当たり使用料	数量	金額(円)	備考
種菌	種菌	500円	2,500本/1ビン当たり	40本	20,000	原菌は50×50に拡大培養
培地材料	オガ粉	3,000円	$11m^3$/1万本	$110m^3$	330,000	
	フスマ	24円/kg	78g	7.8t	187,200	
	コーン	55円/kg	20g	2.0t	110,000	
	小計				647,200	
計					647,200	

(10) 償却費

(10万本当たり)

区分	品　名	数　量	取得価格（千円）	雇用年数（年）	償却費（千円）	備考
建物	栽培舎	84坪	15,600	24	585	
	栽培棚	35台	1,575	24	59	
	空調施設	1式	1,500	10	135	
	換気扉	8台	280	10	25	
	小　計				804	
装備	撹拌機	1台	430	10	39	
	チェーンコンベア	1台	85	5	15	
	詰め機	1台	660	10	59	
	殺菌釜	1台	820	15	49	
	自動接種機	1台	220	10	20	
	菌かき機	1台	250	10	23	
	かき出し機	1台	250	10	23	
	手動包装機	1台	24	7	3	
	加湿機	13台	2,080	7	267	
	台車	2台	60	7	8	
	コンテナ	1,900個	276	7	35	
	ビン	30,000本	930	7	120	
	軽トラック	1台	800	4	180	
	小　計				841	
計					1.645	

エリンギ栽培舎の見取り図

年間栽培ビン数10万本

各室数と面積

区　分	室　数	延べ面積
接種室	1	4坪
培養室	3	17坪
栽培室	5	26坪

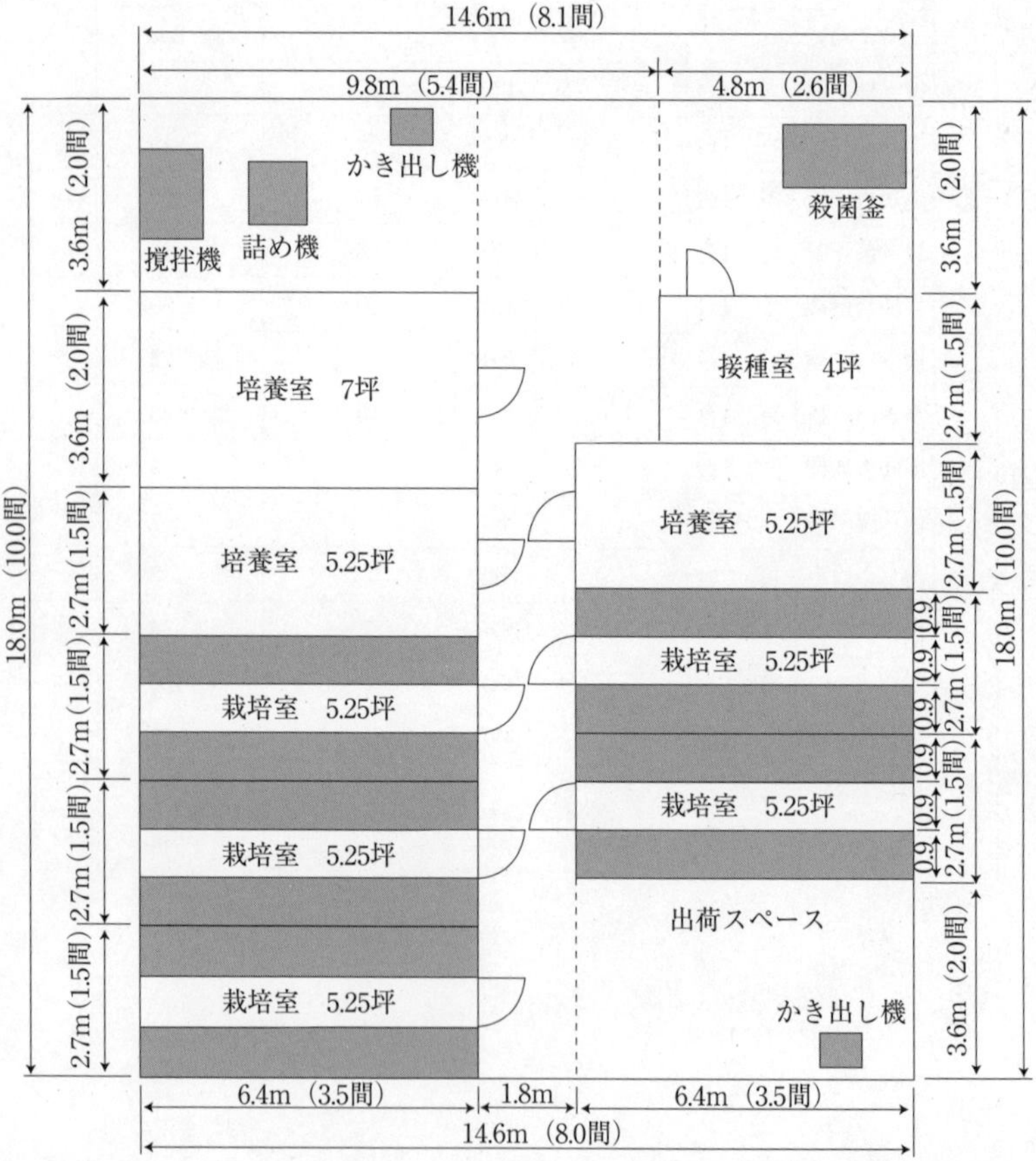

(2) 家内労働季節専業型

(1) 経営規模

1回当たり接種本数	1,500本/日（週4回）	年間回転数	4回転
所有ビン数	60,000本	年間栽ビン数	200,000本
出荷期間	8ヵ月/年（1サイクル60日）		

(2) 経営サイクル

(月)	7	8	9	10	11	12	1	2	3	4	5	6
	接種→ 菌かき→ 出荷→											
	休止期間		労働期間									

(3) 労働力

労働力	人数	作業内容	延べ年間作業日数
基幹労働力	2人	栽培作業全般	633日
雇用	1人		

(4) 栽培施設（建物）の内容

建物構造	鉄骨造り平屋建て			
区分	室数	延べ面積	備考	見積金額(円)
接種室	1	4坪		
培養室	3	32坪	断熱材使用　＊1	
栽培室	5	53坪	断熱材使用　＊2	
作業室		49坪	通路，詰め込み，殺菌，出荷作業等	
計		138坪	電気工事等含む	26,200,000

(5) 栽培施設（装備）の内容

装備施設名	数　量	備考（規格・規模等）	見積金額
撹　拌　機	1台	1,500本/1回（KM－75　1,500～1,700本用）	430,000円
チェーンコンベア	1台	撹拌機から詰め機への移送（KCC－20，有効機長2m　有効幅0.13m）	85,000
ビン詰め機	1台	詰め機＋穴あけ機　1,000本/hキャップ手動（KP－38　16本コンテナ）	660,000
殺　菌　釜	1台	常圧　1,500本/1回	820,000
自動接種機	1台	500本/h　手動（GSⅡ型）	220,000
菌かき機	1台	800本/h　コンテナ16本用（CB－16）	250,000
かき出し機	1台	500本/h　コンテナ16本用（CT－16）	250,000
手動包装機	1台	テーブル式	24,000
加　湿　機	13台	培養室1台×3室＝3台　栽培室2台×5室＝10台　計13台（160,000円/台）	2,470,000
空　調　機	1式	暖房用（8カ月稼働の場合夏季の冷房は不要）	2,800,000
ふるい機	－	購入オガ粉の場合は良質のため不要	－
栽　培　棚	67台	16本×8ケース×4段（900cm×1,800cm×4段）　＊3（45,000円/台）	3,015,000
台　　車	4台	（30,000円/台）	120,000
換　気　扇	8台	（35,000円/台）	280,000
軽トラック	1台		800,000
栽培ビン	60,000本	（31円/本）	1,860,000
コンテナ	3,800個	（145円/個）	551,000
計			14,635,000

＊1　培養室（40日間使用）　＊2　栽培室（30日間使用）　＊3　栽培棚

40÷1.75日（週4回）≒23回

23回×1,500本＝34,500本

34,500本÷1,195本（坪当たり）≒29坪　　34,500本÷683本（坪当たり）≒51坪　　34,500本÷512本≒67台

延べ29坪程度必要　　延べ51坪程度必要　　16本/8ケース×4段（512本/台）

16本×16ケース×7段÷1.5坪（1,195本/坪）　16本×8ケース×4段×2台÷1.5坪（683本/坪）

詳細については，74～79ページ参照

(6) **収益性**　(20万本当たり)

項目			金額(円)	備考
粗収益	販売収入(1ビン当たり平均110g)		19,800,000	200,000本×110g/1ビン＝22,000kg 22,000kg×900円/kg＝19,800千円
	計		19,800,000	
生産費	菌床製造資材		1,294,400	
	償却費	建物	2,427,000	
		装備		
	水道光熱費		1,700,000	8.5円/本
	出荷資材(1パック当たり100g)		1,848,400	ラベル：1円×220,000個　パック：4.3円×220,000個 ラップ：1,375円/500mもの176本(1パック0.4mで88,000m) 段ボール：60円×220,000個÷30パック≒7,340個
	雇用労賃		2,000,000	
	維持管理費等		485,400	償却費の20%
	手数量等		1,980,000	販売収入の10%
	計		11,735,200	
所得［粗収益－生産費］			8,064,800	
自家労働投入量(日)			433	
一日当たり自家労働報酬			18,625	
所得率［所得/粗収益］			41%	

(7) **単位当たり生産性**

粗収益	生産費	所得
900円/kg	533円/kg	367円/kg

(8) 労働日数

（20万本当たり）

作　業　名					計	
					時　間	日
諸　準　備					220	
ビン詰め・殺菌					260	
接　　種					260	
菌　か　き					240	
栽　培　管　理					900	
収穫・調製・出荷					2,940	
かき出し・片付け					240	
合　　計					5,060	633
（1日8時間労働とする）5,060日÷8≒633日						

(9) 資材費

品　目　名		単　価	単位当たり使用料	数量	金額(円)	備　考
種　菌	種　菌	500円	2,500本/1ビン当たり	80本	40,000	原菌は50×50に拡大培養
培地材料	オガ粉	3,000円	11m³/1万本	220m³	660,000	
	フスマ	24円/kg	78g	15.6t	374,400	
	コーン	55円/kg	20g	4.0t	220,000	
	小計				1,294,400	
計					1,294,400	

(10) 償却費

（20万本当たり）

区分	品　名	数　量	取得価格（千円）	雇用年数（年）	償却費（千円）	備考
建物	栽　培　舎	136坪	26,200	24	983	
	栽　培　棚	67台	3,015	24	113	
	空調施設	1式	2,800	10	252	
	換　気　扉	8台	280	10	25	
	小　計				1,373	
装備	撹　拌　機	1台	430	10	39	
	チェーンコンベア	1台	85	5	15	
	詰　め　機	1台	660	10	59	
	殺　菌　釜	1台	820	15	49	
	自動接種機	1台	220	10	20	
	菌かき機	1台	250	10	23	
	かき出し機	1台	250	10	23	
	手動包装機	1台	24	7	3	
	加　湿　機	13台	2,470	7	318	
	台　車	4台	120	7	15	
	コンテナ	3,800個	551	7	71	
	ビ　ン	60,000本	1,860	7	239	
	軽トラック	1台	800	4	180	
	小　計				1,054	
計					2,427	

エリンギ栽培舎の見取り図
年間栽培ビン数20万本

各室数と面積

区　分	室　数	延べ面積
接種室	1	4坪
培養室	3	32坪
栽培室	5	53坪

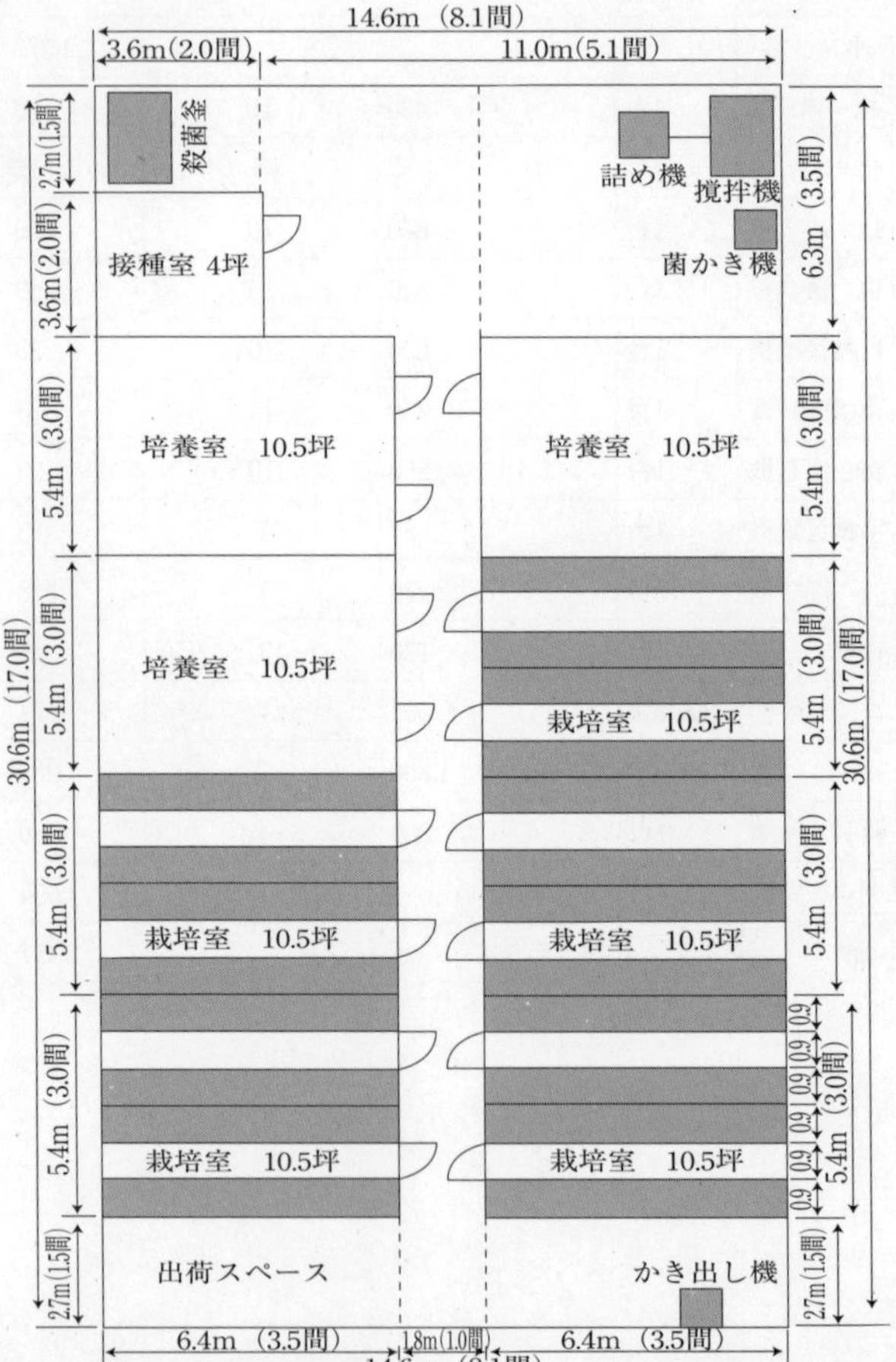

(3) 大規模周年専業型

(1) 経営規模

1回当たり接種本数	2,000本／日（週4回）	年間回転数	6回転
所有ビン数	80,000本	年間栽ビン数	400,000本
出荷期間	1.2ヵ月／年（1サイクル60日）		

(2) 経営サイクル

(月)	7	8	9	10	11	12	1	2	3	4	5	6
			労働期間									

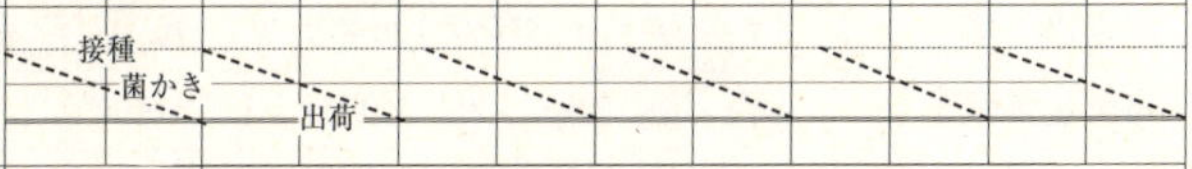

(3) 労働力

労働力	人数	作業内容	延べ年間作業日数
基幹労働力	2人	栽培作業全般	1,265日
雇用	4人		

(4) 栽培施設（建物）の内容

建物構造	鉄骨造り平屋建て			
区分	室数	延べ面積	備考	見積金額(円)
接種室	1	6坪		
培養室	4	39坪	断熱材使用　＊1	
栽培室	7	68坪	断熱材使用　＊2	
作業室		49坪	通路，詰め込み，殺菌，出荷作業等	
計		162坪	電気工事等含む	34,000,000

(5) 栽培施設（装備）の内容

装備施設名	数　　量	備考（規格・規模等）	見積金額
撹　拌　機	1台	2,000本/1回（KM－75　1,500～1,700本用）	450,000円
チェーンコンベア	1台	撹拌機から詰め機への移送（KCC－20，有効機長2m　有効幅0.13m）	85,000
ビン詰め機	1台	詰め機＋穴あけ機　1,000本/h キャップ手動（KP－38　16本コンテナ）	660,000
殺　菌　釜	1台	常圧　1,500本/1回	820,000
自動接種機	1台	1,000本/h　コンテナ毎　全自動	1,350,000
菌かき機	1台	800本/h　コンテナ16本用（CT－16）	250,000
かき出し機	1台	500本/h　コンテナ16本用（CT－16）	250,000
自動包装機	1台	100g，200gパック用　1,200パック/h（LS-1200）	1,300,000
加　湿　機	16台	培養室1台×4室＝4台　栽培室2台×6室＝12台　計16台（160,000円/台）	3,040,000
空　調　機	1式	冷暖房用（冷房6,650,000円　暖房3,700,000円）	10,350,000
ふるい機	－	購入オガ粉の場合は良質のため不要	－
栽　培　棚	90台	16本×8ケース×4段（900cm×1,800cm×4段）　*3（45,000円/台）	4,050,000
台　　車	4台	（30,000円/台）	120,000
換　気　扇	10台	（35,000円/台）	350,000
軽トラック	1台		800,000
栽培ビン	80,000本	（31/本）	2,480,000
コンテナ	5,000個	（145/個）	725,000
計			27,080,000

*1　培養室（40日間使用）	*2　栽培室（30日間使用）	*3　栽培棚
40÷1.75日（週4回）≒23回		
23回×2,000本＝46,000本		
46,000本÷1,195本（坪当たり）≒38坪	46,000本÷683本（坪当たり）≒67坪	46,000本÷512本≒90個
延べ38坪程度必要	延べ67坪程度必要	16本×8ケース×4段（512本）
16本×16ケース×7段÷1.5坪（1,195本/坪）	16本×16ケース×4段÷1.5坪（683本/坪）	

詳細については，74～79ページ参照

(6) 収益性

（40万本当たり）

<table>
<tr><th colspan="3">項　目</th><th>金額（円）</th><th>備　考</th></tr>
<tr><td rowspan="2">粗収益</td><td colspan="2">販売収入
(1ビン当たり平均110g)</td><td>39,600,000</td><td>400,000本×110g/1ビン＝44,000kg
44,000kg×900円/kg＝39,600千円</td></tr>
<tr><td colspan="2">計</td><td>39,600,000</td><td></td></tr>
<tr><td rowspan="9">生産費</td><td colspan="2">菌床製造資材</td><td>2,588,800</td><td></td></tr>
<tr><td rowspan="2">償却費</td><td>建物</td><td rowspan="2">3,888,000</td><td rowspan="2"></td></tr>
<tr><td>装備</td></tr>
<tr><td colspan="2">水道光熱費</td><td>3,400,000</td><td>8.5円/本</td></tr>
<tr><td colspan="2">出荷資材
(1パック当たり100 g)</td><td>3,696,800</td><td>ラベル：1円×440,000個　パック：4.3円×440,000個
ラップ：1,375円/500mもの352本（1パック0.4mで176,000m）
段ボール：60円×440,000個÷30パック≒14,680個</td></tr>
<tr><td colspan="2">雇用労賃</td><td>8,000,000</td><td></td></tr>
<tr><td colspan="2">維持管理費等</td><td>776,000</td><td>償却費の20%</td></tr>
<tr><td colspan="2">手数量等</td><td>3,960,000</td><td>販売収入の10%</td></tr>
<tr><td colspan="2">計</td><td>26,309,600</td><td></td></tr>
<tr><td colspan="3">所得［粗収益－生産費］</td><td>13,290,400</td><td></td></tr>
<tr><td colspan="3">自家労働投入量（日）</td><td>465</td><td></td></tr>
<tr><td colspan="3">一日当たり自家労働報酬</td><td>28,582</td><td></td></tr>
<tr><td colspan="3">所得率［所得/粗収益］</td><td>34%</td><td></td></tr>
</table>

(7) 単位当たり生産性

粗収益	生産費	所得
900円/kg	598円/kg	302円/kg

(8) **労働日数**　　(40万本当たり)

作業名					計	
					時間	日
諸準備					440	
ビン詰め・殺菌					520	
接種					520	
菌かき					480	
栽培管理					1,800	
収穫・調製・出荷					5,880	
かき出し・片付け					480	
合計					10,120	1,265
(1日8時間労働とする) 10,120日÷8≒1,265日						

(9) **資材費**

品目名		単価	単位当たり使用料	数量	金額(円)	備考
種菌	種菌	500円	2,500本/1ビン当たり	160本	80,000	原菌は50×50に拡大培養
培地材料	オガ粉	3,000円	11m³/1万本	440m³	1,320,000	
	フスマ	24円/kg	78g	31.2t	748,800	
	コーン	55円/kg	20g	8,0t	440,000	
	小計				2,588,800	
計					2,588,800	

(10) 償却費

(40万本当たり)

区分	品名	数量	取得価格(千円)	雇用年数(年)	償却費(千円)	備考
建物	栽培舎	170坪	34,000	24	1,275	
	栽培棚	90台	4,050	24	152	
	空調施設	1式	10,350	10	932	
	換気扉	10台	350	10	32	
	小計				2.391	
装備	撹拌機	1台	450	10	41	
	チェーンコンベア	1台	85	5	15	
	詰め機	1台	660	10	59	
	殺菌釜	1台	820	15	49	
	自動接種機	1台	1,350	10	122	
	菌かき機	1台	250	10	23	
	かき出し機	1台	250	10	23	
	自動包装機	1台	1,300	7	167	
	加湿機	16台	3,040	7	391	
	台車	4台	120	7	15	
	コンテナ	5,000個	725	7	93	
	ビン	80,000本	2,480	7	319	
	軽トラック	1台	800	4	180	
	小計				1,497	
計					3.888	

エリンギ栽培舎の見取り図

年間栽培ビン数40万本

各室数と面積

区　分	室　数	延べ面積
接種室	1	6坪
培養室	4	39坪
栽培室	7	68坪

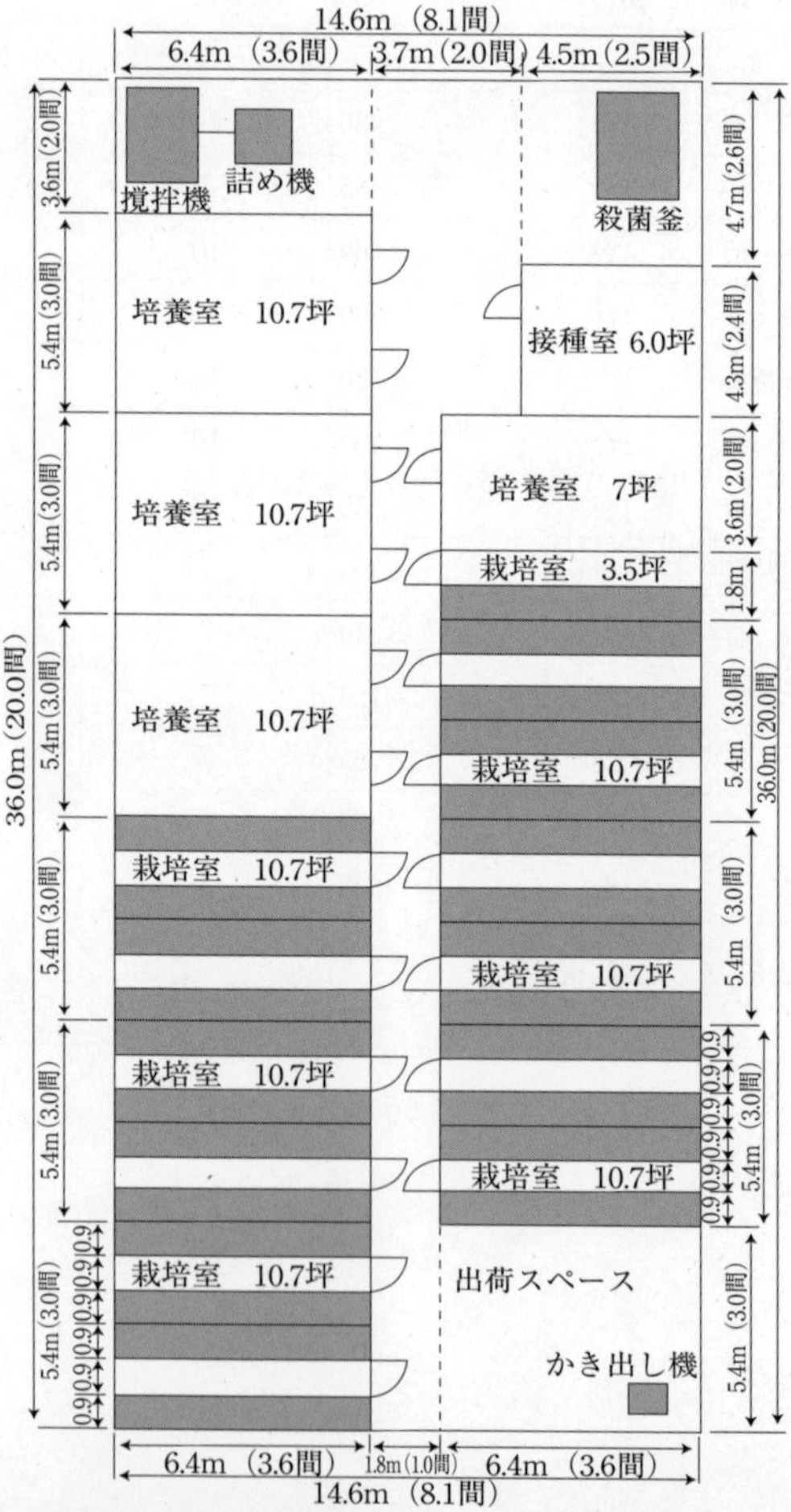

(16) 澤　章三：エリンギィの立ち枯れと発生室の消毒の有無及び拡大回数の関係　中部森林研究 第47号　1999. 2　p.185〜186
(17) 石田　朗他：エリンギィ廃菌床の作土への添加がニンジンに及ぼす影響——添加方法，添加率，および栽培時期による影響の違い——　中部森林研究 第47号　1999. 2　p.187〜188
(18) 澤　章三：きのこ類の鮮度保持に関する研究　愛知県林セ報告 No.31　1994. 8　p.27〜34
(19) 澤　章三：エリンギィの栽培に関する研究（耐熱性と廃培地利用）　愛知県林セ報告 No.32　1995. 9　p.47〜51
(20) 澤　章三：エリンギィの栽培に関する研究（樹種，ニンジンの添加，菌かき方法）　愛知県林セ報告 No.33　1996. 12　p.41〜49
(21) 澤　章三：エリンギィの栽培に関する研究（交配による新品種の開発）　愛知県林セ報告 No.34　1997. 10　p.106〜109
(22) 澤　章三：エリンギィの栽培に関する研究（収集菌株，好配菌株の特性調査，種菌の劣化および害菌の分離）　愛知県林セ報告 No.35　1998.6　p.51〜54
(23) 澤　章三：エリンギの栽培に関する研究　愛知県林セ報告 No.36　1999.6　p.27〜39
(24) 石田　朗他：エリンギの生理特性に関する研究——エリンギ廃菌床の作土への添加がニンジンに及ぼす影響——　愛知県林セ報告 No.36　1999 6　p.80〜83
(25) 石田　朗：エリンギの生理特性に関する研究——エリンギ廃菌床の作土への添加がニンジンに及ぼす影響（II）——　愛知県林セ報告 No.37　2000 6　p.70〜73

参考文献

（1）中村克哉：キノコの事典　p.366　朝倉書店　1982
（2）Oswald Hilber, Die Gattung Pleurotus (Fr.) Kumme 1982, J. CRAMER Hirschberg
（3）Floriano Ferri, I Funghi Edgricole (1985)
（4）内山虎蔵男：白いエノキタケ栽培法　長野県農業改良協会　1977. 4
（5）山中勝次・柿本陽一：ヒラタケ　エノキタケ篇　農村文化社　1991. 4
（6）有機質資源化推進会議編：有機廃棄物資源化大事典　p.254　農文協　1993. 3
（7）衣川堅二郎・小川真：きのこハンドブック　朝倉書店　2000. 1
（8）2000年版きのこ年鑑 エリンギ　p.209～216　農村文化社　2000. 11
（9）森下信明：カオリヒラタケ（エリンギィ）のセリ科植物に対する病原性　愛知県林セ試験成果発表会要旨集　1996. 3
(10) ビジュアル食品成分表　大修館書店　1997. 6
(11) エリンギ栽培手引き　愛知県林業試験研究推進協議会　2000. 3
(12) エリンギ料理パンフレット　愛知県森林協会　2000. 3
(13) 澤　章三：外国産きのこ「Pleurotus eryngii」の栽培方法について　42回日林中支論　1994　p.277～280
(14) 澤　章三：エリンギィ（Pleurotus eryngii）の栽培に関する研究——耐熱性と廃培地利用——　44回日林中支論　1996　p.45～48
(15) 澤　章三：エリンギィの栽培に関する研究——交配による新品種の開発　中部森林研究 第46号　1998. 1　p.59～62

種菌の入手先一覧

株式会社キノックス	〒989-3126　宮城県仙台市青葉区落合1—13—33 Tel　022-392-2511　Fax　022-392-2556
株式会社サイシン	〒399-0012　長野県松本市大字寿白瀬渕1361 Tel　0263-57-3969
株式会社かつらぎ産業	〒649-7121　和歌山県伊都郡かつらぎ町丁ノ町2244 Tel　0736-22-0415　Fax　0736-22-6910

問い合わせ先

1. 各種菌メーカー
2. 愛知県林業センター　〒441-1622　愛知県南設楽郡鳳来町上吉田字乙新多43—1
   Tel　05363-4-0321　Fax　05363-4-0955

著者略歴

澤　章三（さわ　しょうぞう）

1942年7月4日　大阪府吹田市で生まれる
1966年3月20日　京都府立大学農学部林学科卒業
1966年5月1日　愛知県林業試験場勤務
1998年4月1日　愛知県林業センター林産利用研究室長
現在に至る

著書（共著）
『キノコ栽培の新技術』「ヤナギマツタケ」(誠文堂新光社　1988)
『'98年版 きのこ年鑑』「エリンギ」(農村文化社　1997)
『地域生物資源活用大事典』「ヤナギマツタケ」(農文協　1998)
『きのこハンドブック』「エリンギ」「ヤナギマツタケ」(朝倉書店　2000)

◆新特産シリーズ◆
エリンギ——安定栽培の実際と販売・利用——

2001年3月5日　第1刷発行

著者　澤　章三

発行所　社団法人　農山漁村文化協会
郵便番号 107-8668　東京都港区赤坂7丁目6-1
電 話 03(3585)1141(営業)　03(3585)1147(編集)
FAX 03(3589)1387　振替 00120-3-144478
URL http://www.ruralnet.or.jp/

ISBN 4-540-00283-X　DTP製作／吹野編集事務所
〈検印廃止〉　印刷／光陽印刷㈱

製本／笠原製本㈱
Printed in Japan　定価はカバーに表示
乱丁・落丁本はお取り替えいたします